第４版発行にあたって

このたび，大阪弁護士会の知的財産法実務研究会の執筆・編集による『知財相談ハンドブック［第４版］』を発行させていただくことになりました。

本書（初版）は，「知的財産に関する紛争を経験したことのない弁護士のために簡易なハンドブックを」との要望に基づき，知的財産の初心者向けの実践的手引書として2007年３月に発行され，大阪のみならず，全国の知的財産分野に関心のある先生方から，幅広いご支持をいただくことができました。

本書は，知的財産法実務研究会にて研究・討論を積み重ねてこられた経験豊かな先生方に執筆いただき，大阪弁護士会による知的財産初心者向け研修兼専門法律相談研修のテキストに指定され，これまで大変な好評を博してきました。

2010年に本書の改訂版を，2017年には第３版を発行しましたが，その後既に６年が経過し，その間，多くの知的財産関連の法改正が行われ，重要な判例が出されていることから，このような変化に対応すべく，第４版を発行させていただくことになりました。

知的財産を取り巻く状況はますます複雑化し，法曹界全体に求められる水準も日増しに高まってきております。顧問先の企業から知的財産に関する相談を受けるもののその対応に悩まれていた先生方，今後，知的財産の分野にも業務を拡大しようと考えておられる先生方，その他多くの先生方に，是非，本書をご活用いただければと思います。

初版，改訂版，第３版に引き続き，第４版の執筆，編集にあたっていただきました知的財産法実務研究会の先生方の多大なご尽力に対し，改めて敬意を表し，厚く御礼申し上げる次第です。

本書が当協同組合発行の他の出版物同様，皆様方のお役に立つことができましたら幸甚です。

2023年（令和５年）９月

大阪弁護士協同組合
理事長　江　口　陽　三

ご　挨　拶

日本政府は，2002（平成14）年２月に知財立国宣言を行い，2004（平成16）年には知的財産権に関する訴訟の一部が東京・大阪地裁の専属管轄となり，2005（平成17）年には知的財産高等裁判所が設置されました。これらの動きに伴い，知的財産の分野における法的サービスの充実が，強く求められるようになりました。

こういった流れを受けて，知的財産に関する紛争をあまり経験したことのない弁護士のために，入門的な手引書を作ろうというご提案を，大阪弁護士協同組合から頂きました。そして，当会の知的財産法実務研究会により，このハンドブックの出版が企画され，大阪弁護士協同組合の出版協力を得て，2007（平成19）年に，このハンドブックの初版を刊行いたしました。

その後，法改正や重要判例も生まれたことから，2010（平成22）年に改訂版を，2017（平成29）年に第３版を刊行し，毎版とも好評を博し，順調に版を重ねています。

第３版の出版から６年が経過しましたが，この間のインターネットやスマートフォンのすさまじい進歩により，通信方法だけでなく日常生活までもが，大きく変化してまいりました。日々生じる紛争には，今までにない新たな論点も現れています。また，その６年の間に，知的財産分野の法改正もなされました。

このようなことから，今般，時勢に応じたアップデイトを行い，第４版を出版させていただくことになりました。

初版から第３版まで，大阪弁護士会における弁護士向けの研修のテキストとしても活用されており，第４版も，引き続き研修のテキストとして用いられることが予定されております。本書が，これから知的財産法分野の業務に進もうとする者の道標となり，同分野における実務のレベルアップに役立つことを期待するとともに，市民への法的サービスの向上に役立ち，適正迅速な知的財産紛争解決の実現に資することを祈念いたしております。

最後に，第４版に向けてご尽力を頂いた大阪弁護士会知的財産法実務研究会，大阪弁護士協同組合をはじめとする関係各位に，心から感謝申し上げます。

2023年（令和５年）９月

大阪弁護士会
会長　三　木　秀　夫

第４版まえがき

このたび,「知財相談ハンドブック」を改訂し,第４版を発刊することになりました。

このハンドブックは,初版が平成19年に,改訂版が平成22年に,そして、第３版が平成29年に刊行されています。第３版から６年が経過し,知的財産権に関する実務も大幅に変化しました。

第１の変化は,ITの進歩によるものです。連絡手段は,ファックスからメールに換わり,さらには,SNS（ソーシャルネットワークサービス）が急速に普及しました。また,コロナ禍による影響により,ウェブミーティングが一般化し,裁判期日の多くは,ウェブで行われるようになりました。

第２の変化は,法改正です。平成29年以降,たくさんの法改正がありました。不正競争防止法改正によって限定提供データが保護されることとなりました（平成30年改正）。意匠法の改正により,保護対象が拡充され,存続期間は変更されました（令和元年改正）。プロバイダ責任制限法が改正され,インターネット上での権利侵害について被害者救済のための手続が創設されました（令和３年改正）。不正競争防止法等が改正され,デジタル空間における模倣行為の防止等が図られました（令和５年改正、令和６年施行予定）。また,民法（主に債権法）が,約120年ぶりに改正されました（平成29年改正,令和２年施行）。

これらの変化に対応するために,第３版をもとに,設問や回答をアップデイトするとともに,新たにQを追加しました。これに伴い,Qの数は,第３版の54から56に増えています（なお,初版は49,改訂版は54）。

その改訂作業は,田上洋平会員,古庄俊哉会員,山田威一郎会員が中心となって行いました。知財事件についての豊富な経験を有するメンバーであり,最新の知財実務を盛り込むことができたと思います。

また,IT関係の設問については,IT分野の専門家である内田誠会員に執筆,監修をお願いしました。専門的な点についても,より深みのあるQ&Aを提供できたと思います。

さらに,大阪弁護士協同組合出版委員会第４部会のご担当として,福田あやこ会員に,編集会議に加わっていただくとともに,校正作業をご担当いただきました。おかげさまで,円滑に改訂作業を進めることができました。心より,御礼申し上げます。

このハンドブックは,平成19年の初版から16年にわたり,多くの執筆者,編集責任者,監修者が関与して作り上げてきました。その成果を承継し,第４版は形作られています。改めて,このハンドブックに関与した多くの方々に,感謝申し上げます。

知的財産紛争に関与する際に,このハンドブックが,何らかの足がかりとして役立つことを願っております。

2023年（令和５年）９月

大阪弁護士会知的財産法実務研究会

代表世話役　室　谷　和　彦

第３版まえがき

―― 本書の利用と知的財産法に係る勉強の仕方について ――

このハンドブックは，知的財産に係る紛争を経験したことのない弁護士のための入門的な説明書として，2007年３月に初版が，2010年11月には改訂版が公刊されました。

内容は，初版，改訂版を通じてほぼ完成されたものとなっていますが，改訂版公刊の後，平成23年（法律63号，通常実施権等の対抗制度の見直し，冒認出願等の移転請求制度の創設，審決取消訴訟提起後の訂正審判請求の禁止・審決予告制度，再審の訴え等における主張の制限，審決の確定範囲，無効審判確定審決の第三者効の廃止，発明の新規性喪失の例外規定等の見直し，商標権消滅後１年間の他人登録排除規定の廃止）の大改正のほか，平成26年（法律36号，特許異議申立制度の創設等，商標法の保護対象の拡充等），平成27年（法律55号，職務発明制度の見直し）の改正が行われたので，大阪弁護士会知的財産法実務研究会の世話役により，改訂版の骨子は変えずに，これら改正法に対応させる修正を施しました。これが，この第三版です。

ところで，このハンドブックの利用の仕方，ひいては実務家としての知的財産法の勉強の仕方につき，私の経験を通してではありますが，少し説明させていただきます。

いうまでもないことですが，このハンドブックだけで知的財産法が理解できるというものではありません。あくまで入門書ないし入門の手がかりとして利用いただきたいと考えています。ハンドブックの説明を参考に，問題となる条文が分かれば，まずその条文に直接当たるようにしてください。それも問題となる１ケ条だけではなく，その条文を含む章全体を読む癖を付けてもらいたいと思います。知的財産法は産業政策法ですので，その制度設計の目的，立法趣旨（特許法等の創作法と商標法等の標識法の相違等）が重要ですが，これを，一度，自分の頭で考えるようにするためです。次に，関係する裁判例を調査してください。具体的な事案を知ることで条文が，より理解しやすくなりますし，また，知的財産法特有の表現に慣れるためです。最高裁判所ホームページの知的財産裁判例集（http://www.courts.go.jp/app/hanrei_jp/search7）で，関係する条文，法律用語等をキーワードとして入力すれば，最近の裁判例が少なくとも十数件ヒットするでしょうから，その中から４～５件の裁判例を適当に選んで読んでください（特許では技術的な理解が比較的平易な案件を選ぶ方がよいでしょう。）。なお，審決取消訴訟や，侵害事件の控訴審の裁判例は，知的財産高等裁判所ホームページからの裁判例の検索（http://www.ip.courts.go.jp/app/hanrei_jp/search）の方がよりよいでしょう。争点が列挙され，また，取消判決や変更判決には裁判例のポイントもダウンロードできるようになっているからです。そして，できれば，特許番号等より特許庁ホームページより特許情報プラットフォーム（J-PlatPat, https://www.j-platpat.inpit.go.jp/web/all/top/TmTopPage）*にアクセスして特許公報等を入手してください。具体的な特許公報や，その記載を知ることは法律論の理解に役立つからです。そして，裁判例の判旨の理解が困難なときや，自分の理解が正しいかを確認するため，基本書を読むことをお勧めします。ここで，初めて基本書が出てくることを奇異に感じられるかもしれませんが，最初から基本書を読むより，この方が理解が深まると思います。実務家は学生とは違い，基本書を端から端まで通読するような時間はなく，問題となる部分を摘まみ食いするしかありませんが，それでもよいと思います。この繰り返しで知的財産法全体の理解が深まってきます。最初は，何が分からないのかも分からず，ベテランに質問しようとしても，何を質問するのかが分からないことが多いでしょう。しかし，漠然とした疑問でも，その疑問を自分の言葉でメモすることをお勧めします。メモすることで考えがまとまります。時間が空いたときに，このメモを読み返すことで，再度，考えるようにしてください、分からないことが明確に意識できたときは，殆ど理解しているともいえます。知的財産法実務研究会では，通常の定例研究会のほか，このような初学者の疑問，質問に対応できるような機会を設けていきたいと考えています。そして，このハンドブックが皆様の知的財産に係る紛争の入門の端緒になることを願う次第です。

2017年（平成29年）7月

大阪弁護士会　知的財産法実務研究会
平成27,28年度代表世話役　松　本　　　司

＊ J-PlatPatのURLは，https://www.j-platpat.inpit.go.jp に変更されています。

改訂版まえがき

このハンドブックの初版は，大阪弁護士会知的財産法実務研究会が執筆・編集し，大阪弁護士協同組合のお世話により2007年３月に発刊したものである。刊行の経緯並びに本書の性格については，初版当時の三山峻司代表世話役による「まえがき－本書のねらいと利用にあたって－」のとおりである。

このハンドブックの初版は，幸い好評のうちに世に受け入れられ，大阪弁護士会の知的財産研修にも使用されるなどして順調に販売され，増刷の必要が生じた。ついては，発行者である大阪弁護士協同組合とも相談のうえで，せっかくの増刷の機会に全体を見直し，初版執筆後の新たな立法や判例を盛り込んで最新の内容に改め，改訂版を著すこととしたものである。改訂にあたり，初版では全49問のＱ＆Ａであったものを，知的財産法分野において弁護士として最低限理解しておきたい重要事項を５問補充して，全部で54問のＱ＆Ａとした。

この改訂に際しても，多くの関係者のご協力を得た。まず執筆については，初版当時の執筆者全員から改訂版執筆の快諾をいただき，新たに補充した５問についても当研究会の世話役を初めとするメンバーより自主的に執筆希望者を得た。また当研究会の歴代代表世話役である小松陽一郎・松村信夫・三山峻司・溝上哲也の各先生には，手分けして全問に目を通し監修の労をとっていただいた。改訂版の編集責任者として，当研究会のメンバーである岩谷敏昭・室谷和彦・岡本満喜子・坂本優の各弁護士に参加いただき，2009年12月の第１回編集会議から発刊に至るまで速やかな刊行に向け力を注いでいただいた。

このハンドブックの発行者である大阪弁護士協同組合の関係者の方々には，改訂版の刊行について当研究会の意向を最大限尊重いただき，順調に改訂作業を進めることができた。

このような多くの方のご協力の賜として，ハンドブック改訂版が無事出版の段階に至ったことを，関係者の方々とともに慶びたい。

このハンドブックが，初版にも増して，多くの読者の方々から歓迎される良き書物となっていることを願うものである。

2010年（平成22年）11月

大阪弁護士会
知的財産法実務研究会代表世話役
白波瀬　文　夫

まえがき

── 本書のねらいと利用にあたって ──

近時，知的財産権に関する問題はますます重要視され，この分野での相談や取り扱いも日常において珍しくない状況となっている。

このハンドブックは，知的財産法をはじめて取り扱うにあたって，とりあえずの手引きとなり得るような問題を Question にして作成したものである。内容は，知的財産法の全般にわたって極めて基礎的で，実務でしばしば遭遇するような事例を念頭に，「第1章総論」「第2章紛争類型別の解説」「第3章知的財産権侵害訴訟等」「第4章ライセンス契約」にわけて，全部で49問を作成している。

また，Answer は，学術的な内容というよりは，とりあえずの処理を誤らないような視点から相談者や訴訟がからんだ場合の当面の第一歩を示す内容を紹介するように努めた。その為に，実務の動向や実務上の処理のあり方にもウェイトを置いた内容になっているはずである。役に立つ参考文献や資料などの紹介にも懇切に努めている。従って，既存のQ＆Aの概説書とは一味も二味も異なった内容になっている。本格的な対応にあたっては，事件をきっかけに各人のさらなる研鑽が必要となるであろうし，場合によっては知財を専門にする同僚の助力を得ながら対処するのがよいという場合も出てくる。本書は，その導入時のガイドである。

このようなハンドブックを作成したのは，大阪弁護士協同組合からの「一度も知財を経験したことのない弁護士を想定しての簡単なハンドブックを会員の為に作成して欲しい」との依頼を受けたからである。

ごく短時日の間に作成をしなければならなかった関係から大阪弁護士会知的財産法実務研究会の世話人の方々が中心になってQの作成からAの執筆までを担当していただいた。執筆担当者は各Aの末尾に付記されている。また，知的財産法実務研究会の歴代の代表世話役の牛田利治・小松陽一郎・松村信夫の各先生には，大所高所からQ＆Aについて御意見をいただき監修の労をとっていただいた。さらに，当初，岡本満喜子弁護士（現国土交通省大臣官房運輸安全監理室運輸安全官）には，Question 作成などにあたって多大な御協力をいただいた。適時の内に集約的に御協力いただき監修及び執筆の労をとられた担当者及び関係者の方々に心より御礼を申し上げたい。

このハンドブックが当初の目的にそった形で少しでもお役に立てれば，監修者・執筆者一同の望外の喜びである。

2007年（平成19年）3月

大阪弁護士会
知的財産法実務研究会代表世話役
三　山　峻　司

大阪弁護士会　知的財産法実務研究会

知財相談ハンドブック〔第4版〕

目　次

第４章　ライセンス契約

第1章　総論

第1 知的財産に関する事件

Q1　知的財産権とは
知的財産権とは，どのような権利ですか。各権利の内容をお教え下さい。

1　知的財産権とは

知的財産基本法2条2項によれば，「知的財産権」とは，「特許権，実用新案権，育成者権，意匠権，著作権，商標権その他の知的財産に関して法令により定められた権利又は法律上保護される利益に係る権利」と定義されています。性格の違う色々な権利ないし法的利益が，この概念で括られていることがわかります。

まず，保護される客体の種別は，技術，デザイン，営業標識，著作物等多様です。また，創作が優れているため保護される権利もあれば，営業標識として価値を持つため保護される権利もあります。さらに，法により権利が付与されたものもあれば，行為が規制されることにより保護される場合もあります。ともあれ，このような知的財産権（Intellectual Property）を実質面から定義するとすれば，「人間の知的活動により生み出された無形の財産的価値に係る権利」とでもなるでしょう。その価値ゆえに強力な排他的権利を付与されますが，その点はQ2に譲り，以下に主要な知的財産権の内容につき概観します（図1）。

2　特許権

特許権は，「発明」に関して与えられる権利であり，技術に関する知的財産権の典型です。

ここに「発明」とは，「自然法則を利用した技術的思想の創作」のうち，「高度のもの」です（特許2条1項）。産業上の利用可能性がある発明が特許庁に出願され，審査の結果，新規性・進歩性等につき問題なしとして設定登録されれば特許権が発生します（特許66条1項。Q8参照）。

なお，特許出願すれば発明の内容が1年6月経過後に公開され（特許64条），同業他社から模倣される危険があるため，あえて出願せずノウハウとして秘密にする場合もあります。このようなノウハウについては当然ながら特許法による保護は及びませんが，後述するように不正競争防止法による保護対象となり得ます（Q39～41参照）。

3　実用新案権

実用新案権も技術に関する知的財産権ですが，「考案」すなわち「自然法則を利用した技術的思想の創作」（新案2条1項）に関して与えられる権利です。「発明」の定義と比べると,「高度のもの」（特許２条１項）との限定がありません。高度でない技術的創作も保護されるわけで, 実用新案がいわゆる「小発明」を保護する制度といわれる所以です。

もっとも, 平成５年の実用新案法改正により無審査登録制度が採用され, 出願及び権利行使の手続等につき特許権と異なった扱いとなることに注意が必要です（Q16参照）。

4　意匠権

意匠権は, 工業上利用できる意匠（デザイン）を客体とする権利です。意匠法２条１項によれば, 物品（物品の部分を含む。）の形状, 模様若しくは色彩若しくはこれらの結合（以下「形状等」という。), 建築物（建築物の部分を含む。）の形状等又は画像（機器の操作の用に供されるもの又は機器がその機能を発揮した結果として表示されるものに限り, 画像の部分を含む。）であって視覚を通じて美感を起こさせるものが「意匠」として保護される対象となります。物品の部分の形状等も部分意匠として保護されます。令和元年の意匠法改正により, 物品に記録・表示されていない画像や, 建築物, 内装のデザインについても, 新たに意匠法の保護対象となりました。また, 組物に関する意匠制度（意匠８条）や関連意匠制度（意匠10条）もあります。

創作が保護されること, 登録により権利が発生することなど, 特許権と共通しています（Q28～30参照）。

5　商標権

「商標」とは, 商品・役務（サービス）に使用するマークです。なお, 商標法２条１項は,「商標」を「人の知覚によって認識することができるもののうち, 文字, 図形, 記号, 立体的形状若しくは色彩又はこれらの結合, 音その他政令で定めるもの……」と定義しています。平成26年の商標法改正により, 動き商標, ホログラム商標, 色彩のみからなる商標, 音商標, 位置商標が新しいタイプの商標として保護対象となりました。

商標権も, 商標を出願し登録されることにより発生しますが, 商標権が保護しようとするのは創作ではない点で特許権と性格を異にします。商標権が守ろうとするのは, 商品やサービスの自他識別機能であり, これに基づく出所表示機能, 品質保証機能, 広告宣伝機能です（Q17～20参照）。

6　著作権

著作権は, 文芸・学術・美術・音楽の分野における思想又は感情に基づく創作に対して法が与えた権利です。特許権・実用新案権・意匠権・商標権と異なる点が少なくありませんが, 最大の特色は出願・登録を要しないで権利が発生する点です（著作17条２項。無方式主義）。

次に注意が必要なのは,「著作権」は権利の束である点です。その体系は図２のとおりですが, まず広義の著作権は「著作者人格権」と「（狭義の）著作権」に分けられます。「著作者人格権」とは, その名のとおり著作権の中でも人格権的な性格を有する権利で, 公表権（著作18条), 氏名表示権（著作19条), 同一性保持権（著作20条）が規定されています。「(狭義の）著作権」とは,「著作財産権」と称されることもあり,複製権,上演権,演奏権,上映権,公衆送信権等の支分権により構成されます（著作21〜28条)。

その他にも,「著作隣接権」なる概念があること等,注意を要します（Q32, 33参照)。

7 不正競争防止法

不正競争防止法は,以上の知的財産権が権利付与法であるのとは対照的に,行為規制法です。言い換えれば,民法の不法行為法の特則として「不正競争」とされる行為を22類型に規定し（不正競争2条1項1〜22号),このような行為に対して差止請求等を認める方法により,人間の知的活動により生み出された各種の無形の財産的価値に係る法的利益を保護します。

不正競争行為とされる類型は法改正により少しずつ増えており,保護される客体もノウハウ,デザイン,信用,標識,品質等々多様です。したがって,不正競争防止法に基づく請求が,特許権,意匠権,商標権等に基づく請求と並列的に成立する場合もあります（Q17〜19, 25, 26, 28, 29参照)。

8 参考となる基本書等

以上の他にも,図1に示されるとおり知的財産権を保護する法律は多岐にわたりますが,最後にいくつか実務に適した基本書等を案内します。

愛知靖之・前田健・金子敏哉・青木大也「知的財産法〔第2版〕」(有斐閣, 2023年)
茶園成樹編「知的財産法入門〔第3版〕」(有斐閣, 2020年)
知的財産法全般を,網羅的に解説した教科書,入門書です。

高林 龍「標準特許法〔第7版〕」(有斐閣, 2020年)
島並良・上野達弘・横山久芳「特許法入門〔第2版〕」(有斐閣, 2021年)
茶園成樹編「特許法〔第2版〕」(有斐閣, 2017年)
いずれも特許法をわかりやすく解説しており,入門書として適しています。

中山信弘「特許法〔第4版〕」(弘文堂, 2019年)
特許法に関する権威ある体系書です。

茶園成樹編「商標法〔第2版〕」(有斐閣, 2018年)
商標法をわかりやすく解説しており,入門書として適しています。

小野昌延・三山峻司「新・商標法概説〔第3版〕」(青林書院, 2021年)
商標法に関する権威ある体系書です。

茶園成樹編「意匠法〔第２版〕」（有斐閣, 2020年）
意匠法をわかりやすく解説しており, 入門書として適しています。

高林 龍「標準著作権法〔第５版〕」（有斐閣, 2022年）
島並良・上野達弘・横山久芳「著作権法入門〔第３版〕」（有斐閣, 2021年）
茶園成樹編「著作権法〔第３版〕」（有斐閣, 2021年）
いずれも著作権法の入門書として適しています。

中山信弘「著作権法〔第３版〕」（有斐閣, 2020年）
著作権法に関する権威ある体系書です。

作花文雄「詳解著作権法〔第６版〕」（ぎょうせい, 2022年）
著作権法改正作業の関与者による詳細な体系書です。

茶園成樹編「不正競争防止法〔第２版〕」（有斐閣, 2019年）
不正競争防止法をわかりやすく解説しており, 入門書として適しています。

小野昌延・松村信夫「新・不正競争防止法概説〔第３版〕上巻・下巻」（青林書院, 2020年）
不正競争防止法に関する権威ある体系書です。

Q1 添付資料

図1 知的財産権を保護する法律

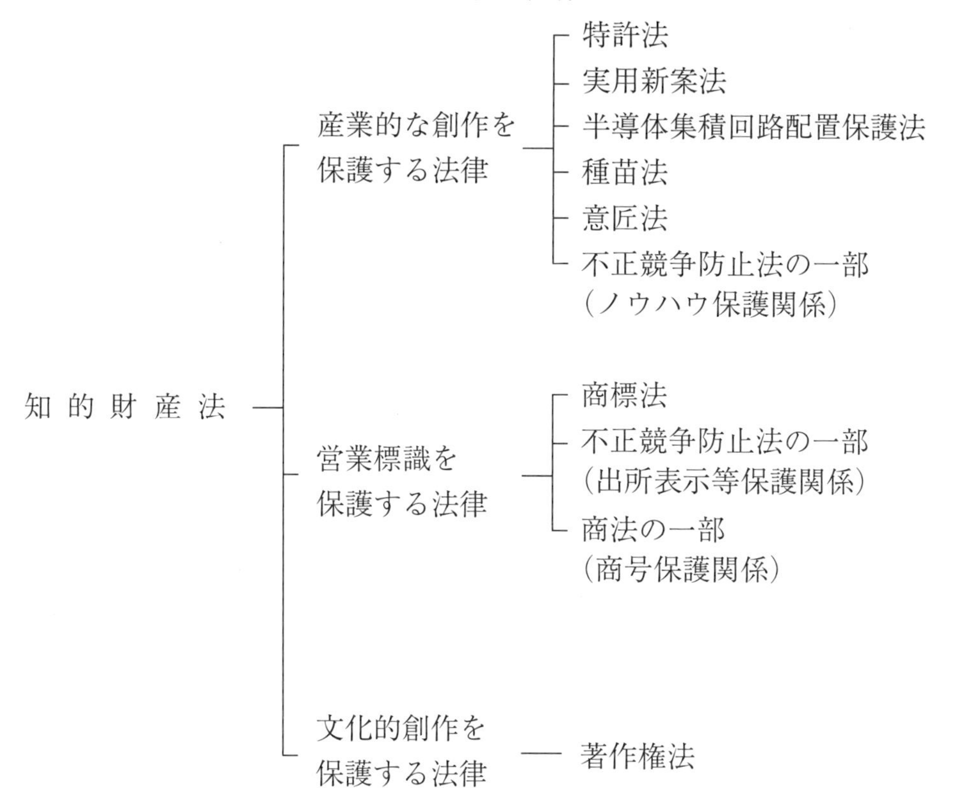

図2 著作権の体系

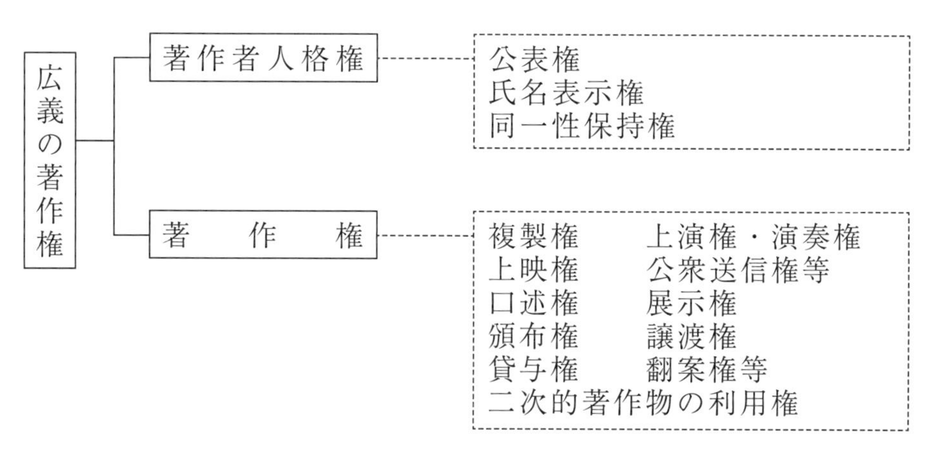

主要な知的財産権の存続期間

	権利の発生	存続期間満了	備考
特　許　権	設定登録	出願の日から20年	延長制度あり
実用新案権	設定登録	出願の日から10年	
意　匠　権	設定登録	出願の日から25年	令和2年4月1日以降の出願
		設定登録から20年	平成19年4月1日から令和2年3月31日までの出願
商　標　権	設定登録	設定登録から10年	更新制度あり

	著作物の種類	保護期間
著　作　権	実名の著作物	死後70年
	無名・変名の著作物	公表後70年
	団体名義の著作物	公表後70年
	映画の著作物	公表後70年

Q２　知的財産権の効果
知的財産権には，権利としてどのような効果があるのかお教え下さい。

1　知的財産権の効果

知的財産権が権利として成立した場合，種々の効果が生じますが，実務上重要なのは，①当該特許発明等の実施・使用をする権利の専有，②差止請求権，③損害賠償請求権等です。以下，特許権の場合を例に敷衍します。

2　実施権の専有

特許権者は，「業として特許発明の実施をする権利を専有」します（特許68条本文）。ここに「専有」とは，要するに独り占めし他人の実施を禁止できることを意味し，特許権が物権に類似する独占的排他的支配権であることを規定しています。同様に，実用新案権者は「業として登録実用新案の実施をする権利を専有する」（新案16条本文），意匠権者は「業として登録意匠及びこれに類似する意匠の実施をする権利を専有する」（意匠23条本文）と規定されています。商標権者については，指定商品又は指定役務について登録商標の専有権（商標25条本文）と，これと類似する商品又は役務の範囲にわたって登録商標の禁止権（37条）を有します。

なお，著作者については，著作人格権及び著作権を「享有」する（著作17条１項）とされ，「専有」の語が用いられていません。これは，複数の人が各々独自に同様の著作物を創作した場合，それぞれが独自の著作物として保護され，この意味で著作権の場合の排他権は相対的となるからです（もっとも，複製権等に関する著作権法21条以下では，「専有」の語が用いられています）。また，不正競争防止法は，権利付与法ではなく行為規制法であるため，特許法68条本文のような規定がないのは当然です。もっとも，著作権法，不正競争防止法いずれも，独占的排他的支配権ではないとしても，法政策的見地から次に述べる差止請求権の規定を設けています。

3　差止請求権

特許権者（専用実施権者も差止請求権を有しますが，以下，解説を単純化するため専用実施権者を度外視します）は，自己の特許権を侵害する者又は侵害するおそれがある者に対し，その侵害の停止又は予防を請求することができます（特許100条１項。狭義の差止請求）。加えて，特許権者は，狭義の差止請求をするに際し，侵害の行為を組成した物（物を生産する方法の特許発明にあっては，侵害の行為により生じた物を含む）の廃棄，侵害の行為に供した設備の除却その他の侵害の予防に必要な行為を請求することができます（同条２項）。故意・過失は問題とならず，客観的な権利侵害の事実があれば行使可能とされ，しかも製品・半製品はもとより製造金型等の廃棄も可能とされる極めて強力な請求権です。

同様の規定は，実用新案法27条，意匠法37条，商標法36条，著作権法112条及び不正競争防止法3条にも設けられています。

4　損害賠償請求権

特許権等の侵害も権利侵害である以上，民法709条以下の不法行為に関する一般原則に従い，権利者は加害者に対して損害の賠償を請求できます。もっとも，民法709条の要件のうち，侵害行為と因果関係のある逸失利益の額の立証は容易ではありません。逸失利益は市場において生じる損害であるため，侵害者の営業努力，代替品の存在等様々な要因が作用し，侵害行為と被侵害者の販売数量の減少の間の因果関係の立証は極めて困難だからです。そこで，特許法102条は，いわゆる「侵害し得」を回避するため，侵害行為と因果関係のある逸失利益の額の立証を容易化する規定を置いています（Q50参照）。

なお，同様の規定が，実用新案法29条，意匠法39条，商標法38条，著作権法114条及び不正競争防止法５条にも設けられています。

5　不当利得返還請求権

差止請求と損害賠償請求が，知的財産権侵害訴訟での請求の典型です。もっとも，損害賠償請求権については，権利者が加害者及び損害の発生を知った時点から３年の短期で消滅時効にかかるため（民724条），消滅時効の期間が，不当利得返還を請求できるときから10年又は請求できることを知ってから5年と長い不当利得返還請求権を主張しておく例もあります。

6　信用回復措置請求権

信用が毀損され，謝罪広告等による信用回復措置が必要となるケースもあり得ます。そのような場合に備え，特許法106条（新案30条，意匠41条，商標39条が本条準用）や不正競争防止法14条は信用回復措置請求権に関する規定を置いています。なお，著作権法の場合，著作者の著作人格権等が侵害された場合の名誉声望回復を目的とした類似規定が設けられています（著作115条）。

7　輸出入差止制度

特許権の「実施」には「輸出」「輸入」も含まれ，侵害品の輸出入を差し止めることも理論上可能ですが，現実には輸出入に際して訴訟で対応することは時間的に困難です。また，例えばいったん国内に入ると，製品の所在を押さえるのは困難です。そのため，関税法は，税関で侵害品を差し止める水際措置を定めています（Q14参照）。

Q３　知的財産権に関する相談を受ける際の注意事項

私は，知的財産権に関する事件を担当するのは初めての弁護士ですが，相談を受ける際に相談者に持参してもらう資料，事前に又は相談時に確認しておくべき点など，最初に相談を受けるにあたり特に注意すべき点をお教え下さい。

1　概要

（１）最初が肝心

知的財産権に関する事件については，「最初が肝心」，「初動が重要」といわれています。一般民事でも，依頼者から事実関係を聴き取り，関係する書面を確認し，法律や判例を調べて検討するのに，労力がかかる場合がありますが，知財事件では，一般民事以上に，このような検討に労力がかかるのが通常です。

すなわち，知財事件では，一般民事以上に，事件の把握に労を惜しまず，根気よく検討し，事案を正確に理解することが要求されます。それが，大変である（例：公報を読む）ため，手を抜いてはいけないという戒めとして，「最初が肝心」といわれていると思われます。

（２）多面的検討の必要性

知財事件においては，検討の前提となる事項が多岐にわたり，また，その内容も専門的なものが多いという特徴があります。そのため，面談前に依頼者に準備してもらうこともたくさんあります。

また，対策の選択肢も，多数考えられ，様々な観点からの検討を要求されることがあります。

（３）難しい最初の相談

上記のような理由から，知財事件の最初の相談は，難しい相談の部類に入るでしょう。はじめて知財事件を担当する場合には，十分な事前準備の上，面談を行うべきでしょう。

2　持参してもらう資料，確認すべき事項

（１）権利内容の把握

まず，相談の前提として，問題となる権利の内容や主体を確認するために，公報，登録原簿謄本（Q５，Q６参照）を持参あるいはあらかじめ電子メール等で送付してもらう必要があります。不動産関連の相談で，登記簿謄本を持参してもらうのと同じ意味です。

これらの記載をもとに，権利者，権利期間，権利の内容を把握します。特許に関する相談では，公報は，相談前に一読しておくべきでしょう。相談の席で，はじめて公報を読むと，それだけで長時間を費やすことになります。

相談が進めば，特許であれば，出願経過を検討するために包袋記録（Q７参照），引例の公報，その他関係資料の取り寄せ，従来技術の調査などが必要になる場合があります。これら資料の調査（あるいは調査の指示）については，相談しながらタイミングを図ることになります。

（2）紛争内容の把握

次に，紛争内容を把握する必要があります。例えば，侵害品を見つけたので販売をやめさせたいという場合には，依頼者にその侵害品やパンフレット等を持参してもらいます。

警告書がきたので対処したいというのであれば，警告書，双方の製品，パンフレット等を持参してもらいます。

そして，いずれの場合でも，これらについて説明を受けた上で，侵害の有無について，検討することになります。もっとも，最初の相談では，侵害判断をするのではなく，もっぱら，侵害判断をするためには，どのような資料を集める必要があるかを検討することになります。

その場合，特許の場合であれば技術者，意匠の場合はデザイナーなど，開発者からの意見を聞くことも有益です。

また，ライセンス契約に関する相談では，主体が入り乱れて複雑な権利関係となっていることが多いので，根気よく事案を把握する必要があります。

（3）周辺事情の把握

紛争内容をより具体的に把握するため，依頼者，相手方をめぐる周辺事情を把握することが必要です。たとえば，依頼者や相手方が業界でどのような位置づけか（シェア，リーダー的存在か否か），両社の関係，業界の特徴，開発経緯，製造・販売開始時期，販売状況，将来の業務展開の予定などです。

知的財産権をめぐる紛争は，過去のトラブルの清算ではなく，現在進行形の営業活動に密接に関連しますので，依頼者，業界，相手方の状況や，問題となっている製品の販売状況等も重要な検討事項となります。

これらのデータについても，時期を見て，依頼者に準備してもらうべきでしょう。これらの点については，営業担当者から意見を聞くことも有益です。

3　最初に相談を受けるにあたり注意すること

（1）正確な事実関係の聞き取り

依頼者から事実関係を聞き取るにあたっては，一般民事と同様，十分に書類等を確認しながら行う必要があります。

特に，依頼者が中小企業で，知的財産権について不案内である場合，思ってもいない勘違いがある場合があるので注意が必要です。

（2）相談が継続する可能性

上記のとおり，権利内容，紛争内容，周辺事情の把握には，多くの資料を要します。そのため知財事件の相談は，一回で終了することは稀であり，何回も相談が継続し，その間に調査を繰り返し，検討資料を補充して，何度も検討を行うことになるのが通常です。

依頼者としても，知財事件は，営業活動に影響が大きいので，慎重な対応をとることが多くなります。

そこで，知的財産権に関する相談では，一般民事以上に相談が継続する可能性が高いことを認識しておくと共に，依頼者に理解を求めておくべきでしょう。

（3）多様な観点からの検討

知的財産権をめぐる紛争には，開発担当者，営業担当者，弁理士，経営者など多数の者が関与します。相談の席にも，多くの者が出席するのが通常です。

弁護士としては，それぞれの観点からの意見を参考に，それぞれの立場を尊重しながら，利害関係を調整して，法的な対応を検討することになります。

注意を要するのは，出願を担当した弁理士の立場です。弁護士が，あまり率直に意見を述べると，弁理士の立場がなくなることがありますので，配慮が必要です。

4　費用について

知財事件について最初に相談を受けるにあたっては，弁護士費用の説明は，特に注意を要します。

（1）事件処理にかかる時間の考慮

上記のとおり，知財事件の相談においては，事前準備に時間がかかり，相談は多数回になることが多く，また，回を増すごとに検討する資料が膨大となり，しかも，相談者が多いので相談にも時間がかかります。

ところが，最初の段階では，どれだけの時間を面談に要し，どれだけの時間を準備や検討（例：技術を理解する。公報を読み込む）。に要するかは分かりません。そこで，最初の相談のとき，相談料の説明を求められた場合には，上記事情について依頼者と共通認識を持った上で，相談料を決めるべきでしょう。

（2）長期化への考慮

また，最初の相談から，継続的相談を経て，警告書（又は回答書）の作成，その後の交渉，さらには訴訟代理というように，紛争が進展する場合もあります。

それぞれの場合の費用についても，最初の相談の段階で，依頼者から説明を求められる場合があります。一般民事と同様に，内容証明作成費用，交渉着手金，訴訟代理着手金，成功報酬というような単純な料金体系とすると，莫大な労力に対して，わずかな報酬となる場合もあります（逆に，非常識なほど高額になる場合もあります）。

知財事件を受任する場合の報酬体系は，一般民事とは別に考えておくべきでしょう。

5　知財専門弁護士の協力

いろいろと述べましたが，はじめて知財事件を扱う弁護士が，単独で，相談を受けるのは勇気のいることです。知財事件では，相談から方針を立てていく段階がもっとも難しい（侵害訴訟の訴訟代理人よりも）というのは異論がないと思います。

同期や同会派には，知財を専門とする弁護士がいるでしょうから，気軽に連絡を取り，対処方法を相談するのがよいと思います。知財を専門とする弁護士は，職人気質的なところがありますので，喜んで協力してくれると思います。

場合によっては，共同受任をするのが，依頼者にとっても有益であるでしょう。

Q4　弁護士と弁理士の仕事

知的財産権をめぐっては，弁護士だけでなく弁理士が関わることがあるということですが，それぞれ主にどのような案件に関わり，どのような仕事をしているのでしょうか。知的財産権の事件処理を弁理士と共同ですることが多いのは，どのような場合なのでしょうか。

1　弁理士の業務

（1）弁理士とは

弁理士試験に合格した者など（弁理士7条）が，登録を受けて，弁理士となります（同法17条）。

弁理士の人数（法人を含む）は，全国で1万2223人（2023年5月31日現在）であり，そのうち約7700人が東京で業務を行っています。大阪で業務を行う弁理士は，約2100人です（日本弁理士会HPより）。

弁理士は，理科系出身の者が約78%を占めており，それぞれの専門分野にあわせ，機械，電気，化学等の分野を担当していることが多いようです。

（2）弁理士の業務

弁理士の業務は，弁理士法4条から6条の2に定められております。これを，以下に簡単に説明します。詳細については，日本弁理士会関西会HP（http://www.kjpaa.jp/）に説明がありますので参考にしてください。

（a）出願業務

弁理士の主な業務は，特許，実用新案，意匠若しくは商標等の特許庁における手続き等の代理（同法4条1項）です。いわゆる出願業務といわれるもので出願にあたり，依頼者に有利な形で権利化できるようにアドバイスを行い，必要な書類等を作成して特許庁に提出します。

また，出願後の特許庁からの問い合わせや通知に対しても，法律面及び技術面から専門的な検討を行い，適切な手続きを行います。

外国における産業財産権に関する出願手続き等も，外国の弁理士や弁護士と連携をとって行います。

（b）異議申立・審判

弁理士は，権利が設定された後の異議申立や審判についても，手続きを代理して行い（同法4条1項），また，審決取消訴訟の訴訟代理人となります（同法6条）。

（c）補佐人・共同訴訟代理人

侵害訴訟においては，弁理士は補佐人として関与し（同法5条），又は，付記を受けた弁理士は弁護士と共に共同訴訟代理人となることができます（同法6条の2）。

（d）その他

これ以外にも，弁理士は，①関税法による輸入・輸出差止手続の代理（同法4条2項1号），②一定の知的財産権に関する裁判外紛争解決手続の代理（同条2項2号），

③一定の知的財産権の売買契約，通常実施権の許諾に関する契約等の代理及び相談等（同条3項1号），植物新品種や地理的表示保護制度に関する相談等の業務（同項2号及び3号）を業務としています。

（3）弁理士報酬

弁理士の報酬は，依頼者と弁理士との合意によって決定します。「弁理士報酬額表（特許事務標準額表，料金表）」は，平成13年1月6日から廃止されており，「定価」，「標準価格」のようなものはありません。

依頼者に知り合いの弁理士を紹介するような場合は，あらかじめ，報酬体系について説明を受けておくべきでしょう。また，弁理士の報酬以外に，特許庁への出願手数料等の費用が必要ですので，これも確認しておくべきです。

2　弁護士の知的財産権に関わる業務

弁護士が知的財産権に関わる業務は，多岐にわたりますが，本書のQuestionが，ほぼこれを網羅しておりますので，ここでは詳説を避けます。

（1）侵害事件

弁理士が出願系（対特許庁）を中心とするのに対し，弁護士は侵害系（当事者間の争い）を中心としているといえるでしょう。

侵害系の事件においては，知的財産権侵害訴訟が花形ですが，それよりも，その前段階の交渉事件，相談事件が多いのが実情です。侵害事件に関連して，無効審判事件や審決取消訴訟事件を扱うこともあります。

（2）ライセンス契約

また，ライセンス契約の作成や，企業が作成した契約書のチェックも弁護士が扱うことの多い業務です。

ライセンスに関しては，技術型（特許等）では，共同開発やベンチャー関係の契約にも広がりを見せますし，非技術型（商標等）では，業務提携，フランチャイズ契約，代理店契約に関する場合もあります。

（3）その他

上記以外にも，職務発明に関する事件，営業秘密に関する事件，システム開発，ソフトウェア開発関連の事件などがあります。

3　弁護士と弁理士との共同作業

（1）弁護士と弁理士とが連携する場合

知的財産権の事件処理を弁理士と共同ですることが多いのは，産業財産権についての侵害事件（侵害訴訟事件，侵害交渉事件）においてです。

産業財産権の侵害が問題となる場合，権利範囲の検討や無効事由の検討が必要となりますが，これらを検討するには，公知資料の調査や出願経過の把握が重要となります。また，特許侵害事件では，技術的観点からの検討も不可欠です。

（2）役割分担

これらの点については，産業財産権あるいは技術の専門家である弁理士の知識と経験に頼らなければならない要素も少なからずあると思われます。

訴訟・交渉の専門家としての弁護士と，産業財産権あるいは技術の専門家としての弁理士とが協力し，調和のとれた共同作業を行うことにより，適切な事件解決が可能となるものと考えます。

（3）弁理士への依頼

侵害事件において，依頼者が権利者側（原告側）の場合，出願を担当した弁理士が侵害事件を担当するのが通常でしょう。

これに対して依頼者が非権利者側（被告側）の場合には，依頼者に顧問弁理士がいる場合は別として，依頼を受けた弁護士が弁理士を探すこととなります。

弁理士への依頼にあたっては，次の点に注意する必要があります。

第1に，弁理士は，専門分野が細分化されているので，問題となっている分野を専門分野とする弁理士を探さなければなりません。たとえば，化学の事件について，機械の専門の弁理士にお願いしてもあまり有益ではありません。

第2に，弁理士には，積極的に侵害事件に携わる方と，侵害事件を苦手とする方がおりますので，この点も注意を要します。

第3に，弁理士に入ってもらうと，依頼者は，弁護士と弁理士双方に報酬を支払うこととなりますので，この点についての依頼者の理解が不可欠です。

いろいろな注意点がありますが，闇雲に知り合いの弁理士に依頼することなく，必要がある場合は，知財事件を専門とする弁護士に問い合わせるのが無難ではないでしょうか。

第2　知的財産に関する事件の資料

Q５　特許公報の入手方法と読み方

特許公報とは何ですか。どのように入手するのですか。また，どのように読めばいいのですか。

1　特許公報とは

特許公報は，特許庁における審査で拒絶理由が発見されなかった特許出願の内容を編纂して特許庁が発行したもので，特許公報発行時の権利情報としての性格も有しています（末尾の特許公報の実例参照）。

なお，特許庁が発行する特許に関する公報には，原則として出願日から１年６月経過後に発行される公開特許公報があり，特許出願の書誌事項（出願番号，公開番号，特許番号，発明の名称，出願人名等のことをいいます），明細書，図面，要約書などの内容が記載されていますが，公開特許公報は，未だ審査を受ける前の出願内容を公開したものにすぎず，公開特許公報の記載だけから特許発明の技術的範囲を解釈してはなりません。

ところで，特許協力条約（PCT）に基づいて行われた国際出願は，優先日から18ヶ月経過後，国際事務局によってパンフレット形式で国際公開されます。

そして，特許協力条約（PCT）に基づいて行われた外国語の国際出願が日本に国内移行された際に日本の特許庁によって公表特許公報が発行されます。

なお，特許協力条約に基づいて行われた日本語の国際出願が国内移行された場合は，日本の特許庁によって再公表特許が発行されていましたが，再公表特許は，令和４年１月に廃止となりました。

特許庁が発行する公報には，平成６年１月１日施行の実用新案法に基づき，無審査で実用新案登録された考案の公報である登録実用新案公報，特許庁における審査で拒絶理由が発見されなかった意匠登録出願の内容を編纂して特許庁が発行した意匠公報，商標登録出願のうち，書誌事項，登録を受けようとする商標，指定商品などを公開した公開商標公報，特許庁における審査で拒絶理由が発見されなかった商標登録出願の内容を編纂して特許庁が発行した商標公報や，拒絶査定不服審判，無効審判などの審決を掲載した審決公報等もあります。

また，平成６年法律第116号により出願公告制度及び特許付与前の特許異議の制度が廃止されましたが，その施行日である平成８年１月１日までに出願公告をすべき旨の決定の謄本の送達があった特許出願については，公告公報が発行されています。

その後，平成27年４月に新しい特許異議申立制度が創設されました（特許113条）。新しい特許異議申立制度では，特許付与後の一定期間（特許掲載公報発行の日から６月以内）に限って，広く第三者（匿名では不可）に特許の見直しを求める機会を付与して，申立てがあったときは，特許庁自らが特許処分の適否について審理し，特許に瑕疵があるときは，その是正を図ることにより，特許の早期安定化を図る制度です。申立時期，申立理由が限定され，書面審理が採用されるなどにより，早期の権利見直し，申立人の手続負担の軽減が図られています（Q11参照）。

2　特許公報の入手

特許公報は，独立行政法人工業所有権情報・研修館の特許情報プラットフォーム（https://www.j-platpat.inpit.go.jp/）において，無料で入手できます。

具体的には，特許情報プラットフォームの「特許・実用新案」のタブにある「特許・実用新案番号照会/OPD」をクリックすると，検索画面が現れますので，発行国・地域/発行機関（例えば「日本（JP)」，番号種別（例えば「特許番号（B)・特許発明明細書番号（C)」）をタブから選択した上で，文献番号（登録番号）を入力して「照会」をクリックし，次画面で表示形式（例えば「PDF表示」）を選択してから，「登録番号」の箇所に表示されている文献番号をクリックすると，特許公報が表示されます。特許公報全文を一括して取得する場合は，「文献単位PDF」をクリックし，認証番号を入力し，送信すると，「PDFダウンロード」ボタンが表示されます。このボタンをクリックすると，特許公報全文をPDFで取得できます。

3　特許公報の読み方

特許公報には，特許請求の範囲，発明の詳細な説明が記載されており，さらに，図面がある場合には，図面の簡単な説明があって（末尾の特許公報の実例では、段落【0021】に図面の簡単な説明があります)，図面が添付されています。

「特許請求の範囲」には，１つ又は複数の請求項が記載されています。「発明の詳細な説明」には，技術分野，背景技術，発明が解決しようとする課題，課題を解決するための手段，発明の効果，実施例，産業上の利用可能性などが記載されています。

特許発明の技術的範囲は，特許請求の範囲の記載に基づいて定められるのですが（特許70条１項)，技術に関して素人である弁護士は，いきなり特許請求の範囲の記載から読んでも，特許発明の内容を把握するのは難しいのが通常であると思われますので，発明の詳細な説明，その中でも実施例の箇所を図面と対照しながら読み込んで，その上で特許請求の範囲を読んだ方が理解し易いと思います。

なお，技術的用語の意義については，自分で技術用語辞典や技術文献を調べたり，依頼者（技術者）や弁理士に聞くなどして理解する必要があります。

ところで，特許発明に関する技術情報については，特許公報記載の国際特許分類（International Patent Classification 略してIPC…発明に関する全技術内容をＡからＨの８つのセクションに分けて，それぞれに細分化しており，国際的に統一して利用されています。末尾の特許公報の実例では、1頁目の「B65D」が国際特許分類記号です)，FI（File Indexの略語で，国際的に統一して利用されている国際特許分類記号に付加して日本独自に技術内容をさらに細分化したものです）やＦターム（File forming Termの略語で，一定の技術分野を限定して，IPCの分類箇所の所定範囲を対象としたテーマコードとテーマ名のリストを設定して検索を行うシステムで，特許庁の審査官が審査のために利用するもので，特許情報プラットフォームでも使えます）を利用して調査することができます。

なお，特許公報の記載の「参考文献」は，審査官が審査のときに参照して参考となった技術文献が記載されており，「調査した分野」は，審査官が審査のために調査を行った範囲が記載されています。

Q５添付資料

JP 6594314 B2 2019.10.23

(19)日本国特許庁(JP)　(12)特　許　公　報(B2)　(11)特許番号 特許第6594314号 (P6594314)

(45)発行日　令和1年10月23日(2019.10.23)　(24)登録日　令和1年10月4日(2019.10.4)

(51)Int.Cl.　B65D 43/02 (2006.01)
F I　B65D 43/02 100

請求項の数8　(全12頁)

(21)出願番号　特願2016-538377(P2016-538377)
(86)(22)出願日　平成27年7月29日(2015.7.29)
(86)国際出願番号　PCT/JP2015/071435
(87)国際公開番号　WO2016/017662
(87)国際公開日　平成28年2月4日(2016.2.4)
審査請求日　平成30年3月8日(2018.3.8)
(31)優先権主張番号　特願2014-155315(P2014-155315)
(32)優先日　平成26年7月30日(2014.7.30)
(33)優先権主張国・地域又は機関　日本国(JP)

(73)特許権者　000158116　岩崎工業株式会社　奈良県大和郡山市高田町４２１番地２
(74)代理人　100124039　弁理士　立花　顕治
(74)代理人　100156845　弁理士　山田　威一郎
(74)代理人　100179213　弁理士　山下　未知子
(72)発明者　岩崎　能久　奈良県大和郡山市額田部北町１２１６番地の５　岩崎工業株式会社内

審査官　宮崎　基樹

最終頁に続く

(54)【発明の名称】保存容器

(57)【特許請求の範囲】
【請求項１】
１つの取出口を規定する１つの外周枠を有する容器体と、
前記外周枠に取り付け可能であり、前記取出口を開閉する１つのドア蓋とを備え、
前記容器体は、前記外周枠が設けられた天面部を有し、
前記天面部は、平面視において短辺及び長辺を有する矩形状であり、
前記外周枠は、前記天面部において偏心した位置に設けられており、前記外周枠の延びる方向に沿って、少なくとも３つの被連結部を有し、
前記ドア蓋は、任意の前記被連結部に着脱自在に連結可能な連結部を有し、　10
前記連結部及び前記被連結部は、前記連結部を任意の前記被連結部に連結した状態で、前記ドア蓋が前記取出口を開閉すべく前記外周枠に対して回動可能なように構成されている、
保存容器。
【請求項２】
前記容器体は、天面側に開口を有するボックスをさらに有し、
前記天面部は、前記ボックスに対して着脱自在に取り付けられ、前記ボックスは、直方体状である、
請求項１に記載の保存容器。
【請求項３】　20

(2) JP 6594314 B2 2019.10.23

前記ドア蓋は、平面視において概ね回転対称な形状である、
請求項１又は２に記載の保存容器。
【請求項４】
前記ドア蓋は、平面視において概ね正多角形である、
請求項３に記載の保存容器。
【請求項５】
前記ドア蓋は、平面視において概ね正方形である、
請求項４に記載の保存容器。
【請求項６】
前記少なくとも３つの被連結部の１つに前記連結部を連結した場合の、前記外周枠に対する前記ドア蓋の回動軸線と、前記少なくとも３つの被連結部の別の１つに前記連結部を連結した場合の、前記外周枠に対する前記ドア蓋の回動軸線とは、概ね９０°の角度を為す、
請求項１から５のいずれかに記載の保存容器。
【請求項７】
前記少なくとも３つの被連結部の１つに前記連結部を連結した場合の、前記外周枠に対する前記ドア蓋の回動軸線と、前記少なくとも３つの被連結部の別の１つに前記連結部を連結した場合の、前記外周枠に対する前記ドア蓋の回動軸線とは、概ね平行である、
請求項１から６のいずれかに記載の保存容器。
【請求項８】
前記連結部は、開口を規定する部位及び前記開口に挿入される挿入部の一方であり、前記被連結部は、他方である、
請求項１から７のいずれかに記載の保存容器。

【発明の詳細な説明】
【技術分野】
【０００１】
本発明は、食品等を保存しておくための保存容器に関する。
【背景技術】
【０００２】
従来より、食品等を保存しておくための保存容器として、開閉式のドア蓋が設けられたものが公知である。ドア蓋の開閉の態様には、様々なものがあり、例えば、回動式のものや、スライド式のものがある（特許文献１参照）。回動式のドア蓋の場合、保存容器内に保存されている物品の取出口を開閉すべく、ドア蓋が当該取出口を規定する外周枠に対して回動する。この種の保存容器は、開閉が容易であり、例えば、ライスストッカーやペットフードストッカー等として使用することができる。
【先行技術文献】
【特許文献】
【０００３】
【特許文献１】特開平１１－２９０２２８号公報
【発明の概要】
【発明が解決しようとする課題】
【０００４】
ところで、特許文献１に示される回動式のドア蓋は、回動軸が固定されており、一方向にしか開閉しない。このように、開閉方向が固定されているドア蓋の場合、取出口を介して保存容器内にアクセスしようとするときに、開いた状態のドア蓋が邪魔になることがある。例えば、取出口の右側にドア蓋の回動軸線が存在する場合に、保存容器の右側から取出口にアクセスしようとすると、ドア蓋が取出口の手前側に立ち上がっており、障壁となる。この問題を避けるためには、取出口に対して普段アクセスする側とは反対側に回動軸が位置するように保存容器を配置すればよいが、設置スペースの関係上、保存容器を必ず

しもそのように配置することができるとは限らない。
【０００５】
　本発明は、開閉方向を変更することが可能なドア蓋を有し、様々な方向から取出口にアクセス可能な保存容器を提供することを目的とする。
【課題を解決するための手段】
【０００６】
　本発明の第１観点に係る保存容器は、容器体と、ドア蓋とを備える。容器体は、取出口を規定する外周枠を有する。ドア蓋は、前記外周枠に取り付け可能であり、前記取出口を開閉する。前記外周枠は、前記外周枠の延びる方向に沿って、複数の被連結部を有する。前記ドア蓋は、任意の前記被連結部に着脱自在に連結可能な連結部を有する。前記連結部及び前記被連結部は、前記連結部を任意の前記被連結部に連結した状態で、前記ドア蓋が前記取出口を開閉すべく前記外周枠に対して回動可能なように構成されている。　10
【０００７】
　ここでは、保存容器の取出口の外周枠に、外周枠の延びる方向に沿って複数の被連結部が設けられる一方で、ドア蓋に、外周枠の任意の被連結部に着脱自在に連結可能な連結部が設けられる。そして、連結部を任意の被連結部に連結した状態では、ドア蓋が取出口を開閉すべく外周枠に対して回動する。従って、ドア蓋の連結部を様々な被連結部に取り付けることにより、ドア蓋を様々な方向から開閉することが可能になる。すなわち、ドア蓋の開閉方向を選択することができ、様々な方向から取出口にアクセス可能な保存容器が提供される。　20
【０００８】
　本発明の第２観点に係る保存容器は、第１観点に係る保存容器であって、前記外周枠は、前記外周枠の延びる方向に沿って、少なくとも３つの前記被連結部を有する。従って、ドア蓋の開閉方向を少なくとも３つの方向から選択することができる。
【０００９】
　本発明の第３観点に係る保存容器は、第１観点又は第２観点に係る保存容器であって、前記ドア蓋は、平面視において概ね回転対称な形状である。すなわち、ドア蓋は、例えば、平面視において略正方形、略長方形、略円形等の形状に構成され得る。
【００１０】
　本発明の第４観点に係る保存容器は、第３観点に係る保存容器であって、前記ドア蓋は、平面視において概ね正多角形である。　30
【００１１】
　本発明の第５観点に係る保存容器は、第４観点に係る保存容器であって、前記ドア蓋は、平面視において概ね正方形である。
【００１２】
　本発明の第６観点に係る保存容器は、第１観点から第５観点のいずれかに係る保存容器であって、前記複数の被連結部の１つに前記連結部を連結した場合の、前記外周枠に対する前記ドア蓋の回動軸線と、前記複数の被連結部の別の１つに前記連結部を連結した場合の、前記外周枠に対する前記ドア蓋の回動軸線とは、概ね９０°の角度を為す。
【００１３】　40
　ここでは、ドア蓋の連結部を外周枠の複数の被連結部の間で付け替えることで、ドア蓋を概ね９０°異なる方向から開閉することが可能になる。すなわち、概ね９０°異なる方向から取出口にアクセス可能な保存容器が提供される。
【００１４】
　本発明の第７観点に係る保存容器は、第１観点から第６観点のいずれかに係る保存容器であって、前記複数の被連結部の１つに前記連結部を連結した場合の、前記外周枠に対する前記ドア蓋の回動軸線と、前記複数の被連結部の別の１つに前記連結部を連結した場合の、前記外周枠に対する前記ドア蓋の回動軸線とは、概ね平行である。
【００１５】
　ここでは、ドア蓋の連結部を外周枠の複数の被連結部の間で付け替えることで、ドア蓋　50

を概ね１８０°異なる方向から開閉することが可能になる。すなわち、概ね１８０°異なる方向から取出口にアクセス可能な保存容器が提供される。
【００１６】
本発明の第８観点に係る保存容器は、第１観点から第７観点のいずれかに係る保存容器であって、前記連結部は、開口を規定する部位及び前記開口に挿入される挿入部の一方であり、前記被連結部は、他方である。
【００１７】
ここでは、連結部と被連結部が、開口を規定する部位と当該開口に挿入される挿入部の態様で実現される。従って、互いに着脱自在に連結される連結部と被連結部とを簡易な構成で実現することができる。　10
【００１８】
本発明の第９観点に係る保存容器は、第１観点から第８観点のいずれかに係る保存容器であって、前記容器体は、前記外周枠が設けられた天面部を有する。前記外周枠は、前記天面部において偏心した位置に設けられている。
【００１９】
ここでは、取出口が保存容器の天面部において偏心した位置に形成される。この場合、設置スペースに対する取出口の位置は、天面部の配置される向きに依存することになる。そうすると、天面部の向きを取出口が所望の位置にくるように決めたとき、仮に天面部におけるドア蓋の開閉方向を選択できなければ、ドア蓋が望まない方向に開閉しかねない。しかしながら、ここでは、天面部に対するドア蓋の開閉方向を選択できるため、取出口の位置及びドア蓋の開閉方向をどちらも望むとおりに設定することが容易になる。　20
【発明の効果】
【００２０】
本発明によれば、ドア蓋の連結部を様々な被連結部に取り付けることにより、ドア蓋を様々な方向から開閉することが可能になる。すなわち、ドア蓋の開閉方向を選択することができ、様々な方向から取出口にアクセス可能な保存容器が提供される。
【図面の簡単な説明】
【００２１】
【図１】本発明の一実施形態に係る保存容器の外観斜視図。
【図２】（Ａ）保存容器の平面図。（Ｂ）保存容器の長辺側の側面図。（Ｃ）保存容器の短辺側の側面図。　30
【図３】ドア蓋が様々な方向に開く様子を説明する図。
【図４】（Ａ）ボックスの平面図。（Ｂ）ボックスの長辺側の側面図。（Ｃ）ボックスの短辺側の側面図。
【図５】（Ａ）天面部の平面図。（Ｂ）天面部の取出口に近い短辺側の側面図。（Ｃ）天面部の取出口から遠い短辺側の側面図。（Ｄ）天面部の長辺側の側面図。
【図６】天面部の底面図。
【図７】（Ａ）ドア蓋の平面図。（Ｂ）ドア蓋の取っ手に近い側の側面図。（Ｃ）ドア蓋の回動軸に近い側の側面図。（Ｄ）ドア蓋の別の側面図。
【図８】図５のＡ－Ａ線断面図。　40
【図９】ドア蓋の底面図。
【発明を実施するための形態】
【００２２】
以下、図面を参照しつつ、本発明の一実施形態に係る保存容器について説明する。
<１．保存容器の全体構成>
図１は、本実施形態に係る保存容器１の外観斜視図であり、図２は、保存容器１の平面図及び側面図である。なお、以下の説明では、図２のとおりに上下方向、短辺方向及び長辺方向を定義するとともに、これを基準として他の図面の説明も行うこととする。また、上側を天面側、下側を底面側と称することもある。
【００２３】　50

図１に示すように、保存容器１は、上部に取出口Ｓ１（図３参照）を有する容器体３と、この取出口Ｓ１を開閉するドア蓋２とを備える。保存容器１は、多目的に使用することができるが、後述するとおり気密性に優れるため、食品の保存に最適であり、例えば、ライスストッカーやペットフードストッカー等として使用することができる。また、図３に示すように、保存容器１の優れた特徴として、ドア蓋２は、容器体３に対する取り付け位置を変更可能であり、これにより、保存容器１の設置場所に併せて、ドア蓋２の開閉方向を調整することができる。以下、各部の構成について詳細に説明する。

【００２４】

＜２．各部の構成＞

＜２－１．容器体＞

容器体３は、天面側に開口Ｓ２（図４参照）を有するボックス３０と、この開口Ｓ２を塞ぐようにボックス３０に対し着脱自在に取り付けられる天面部４０とを有する。図４は、ボックス３０単体の平面図及び側面図である。同図に示すように、ボックス３０は、矩形状の底部３１と、底部３１の四辺に沿って四辺から起立する側壁部３２～３５とからなる直方体状のコンテナである。側壁部３２～３５のうち、短辺方向に沿うものが側壁部３２，３４であり、長辺方向に沿うものが側壁部３３，３５である。

【００２５】

図５は、天面部４０単体の平面図及び側面図である。同図に示すように、天面部４０は、矩形状の天面板４１と、天面板４１の四辺に沿って当該四辺からやや下方に延びる側壁部４２～４５を有する。天面板４１には、取出口Ｓ１が形成されている。この取出口Ｓ１は、天面部４０をボックス３０に取り付けることでボックス３０の開口Ｓ２を塞いだときに、当該開口Ｓ２に代えて容器体３の内部空間へのアクセスを可能にするための開口である。取出口Ｓ１は、外周枠４１ａにより規定され、本実施形態では、正方形状である。なお、外周枠４１ａは、天面板４１の一部であるが、必ずしも天面板４１におけるその他の部位と明確に区別される部位ではない。天面板４１における外周枠４１ａとその他の部位とは、一体的に構成されていてもよいし、別体であってもよい。

【００２６】

本実施形態では、取出口Ｓ１は、天面板４１の中心から偏心した位置に、より具体的には、長辺方向の一方側に偏った位置に形成されている。なお、天面板４１の側壁部４２～４５のうち、短辺方向に沿うものを側壁部４２，４４とし、特に取出口Ｓ１により近いものを側壁部４２とし、より遠いものを側壁部４４とする（図１及び図５参照）。また、残りの長辺方向に沿う側壁部４３，４５のうち、側壁部４２が左手にくるように配置したときに手前側にくるものを側壁部４３とし、奥側にくるものを側壁部４５とする（図１及び図５参照）。

【００２７】

外周枠４１ａには、外周枠４１ａの延びる方向に沿って、溝５３～５５が形成されている。溝５３，５５は、外周枠４１ａの長辺方向に沿う部位に形成され、特に溝５３は、側壁部４３により近い部位に配置され、溝５５は、側壁部４５により近い部位に配置される。また、溝５４は、外周枠４１ａの短辺方向に沿う部位であって、側壁部４２からより遠い部位に配置される。これらの溝５３～５５、ないしはこれらの溝５３～５５を規定する部位は、各々同じ形状を有する。従って、ドア蓋２に形成されている後述される回動軸１０は、これらの溝５３～５５の任意の１つに選択的に連結することができ、これにより、ドア蓋２の開閉方向を３方向の中から自由に選択することが可能になっている。この連結構造及び連結方法については、後述する。

【００２８】

図５に示すとおり、本実施形態では、側壁部４２～４５の外周面は、側壁部４２の中央近傍を除き、全周方向に沿って平坦である。側壁部４２の中央近傍の部位（以下、突出部４２ａという）の外周面は、その他の部位の外周面よりもやや外側に突出している。この突出部４２ａの内側に形成される空間Ｓ３は、概ね人の指先が入る程度の厚みを有する。そして、当該空間Ｓ３に指を挿入して上方に向かって力を加えることにより、天面部４０

を容易にボックス３０から取り外すことができるようになっている。
【００２９】
図６は、天面部４０の底面図である。同図に示すとおり、本実施形態に係る天面板４１の下面には、天面板４１の外周方向に沿ってパッキン６０が取り付けられている。より具体的には、天面板４１の下面には、互いに平行に天面部４０の外周方向に沿って延びる２本のガイドレール６１が形成されており、これらの２本のガイドレール６１の間にパッキン６０が配置されている。パッキン６０は、着脱式のものであっても、ガイドレール６１及び天面板４１に隙間なく一体化されていてもよい。パッキン６０は、天面部４０をボックス３０に取り付けたときに、ボックス３０の側壁部３２～３５の上端のフランジ部分３６（図４参照）に外周方向全体に亘って接触し、密着する。従って、このパッキン６０により、ボックス３０と天面部４０との連結部分に隙間が生じず、気密性が保たれるようになっている。
【００３０】
なお、保存容器１のうちパッキン（パッキン６０に加え、後述するパッキン２８も含む）以外の部位は、例えば、ポリプロピレンや飽和ポリエステル等の硬質の樹脂材料により成形することができ、パッキンは、ゴムやエラストマー等の弾性材料（本実施形態では、シリコーン）により成形することができる。
【００３１】
図２及び図４を再び参照する。ボックス３０の側壁部３２，３４の上端付近の中央近傍には、側壁部３２，３４から外方向に突出した把持部３２ａ，３４ａが配置される。把持部３２ａ，３４ａには、下方が開放した空間Ｓ４が形成されている。空間Ｓ４は、人の指先が入る程度の厚みを有し、ここに指を引っ掛けることで、ボックス３０或いは保存容器１全体を容易に持ち運ぶことができる。
【００３２】
本実施形態に係るボックス３０は、ボックス３０の長辺方向の中央を貫く仮想面Ａ１（図４参照）及び短辺方向の中央を貫く仮想面Ａ２に対し、対称な形状を有する。その結果、天面部４０とボックス３０とは、側壁部３２を側壁部４２，４４のいずれと対応するようにも取り付けることができる。
【００３３】
＜２－２．ドア蓋＞
以下、天面部４０の取出口Ｓ１を開閉するためのドア蓋２について説明する。図７は、ドア蓋２単体の平面図及び側面図である。ドア蓋２は、正方形板状のドア本体２１と、ドア本体２１の四辺に沿って当該四辺からやや下方に延びる側壁部２２～２５を有する。ドア本体２１は、取出口Ｓ１よりもやや大きい板状の部材である。
【００３４】
ドア本体２１の外周部のうち、所定の一辺に沿う部分の中央近傍の部位（以下、窪み部２１ａ）は、その他の部位よりもやや内側に窪んでいる。なお、ドア蓋２の側壁部２２～２５のうち、窪み部２１ａに対応する辺に沿うものが側壁部２２であり、これに対向する辺に沿うものが側壁部２４である。また、残りの２辺に沿う側壁部２３，２５のうち、側壁部２２が右手にくるように配置したときに奥側にくるものを側壁部２３とし、手前側にくるものを側壁部２５とする。また、側壁部２２は、外周方向に沿って窪み部２１ａに対応する位置において切り欠かれている。
【００３５】
図７（Ｄ）に示すとおり、窪み部２１ａは、ドア本体２１のその他の部位に比べて、内側から外側に向かって上方へ傾斜している。その結果、窪み部２１ａの下方には、人の指先が入る程度の空間Ｓ５が形成されている。そして、当該空間Ｓ５に指を挿入して上方に向かって力を加えることにより、ドア本体２１を後述する回動軸１０に沿って容易に回動させ、これにより、取出口Ｓ１を開くことができる。この意味で、窪み部２１ａは、取っ手２１ａと呼ぶことができる。
【００３６】

ドア蓋２を回動させる回動軸１０は、側壁部２４に沿って形成されている。回動軸１０は、細長い円柱棒状である。側壁部２４は、この回動軸１０に対応する部位において外側へ向かってやや下方へ傾斜している。また、上述した天面部４０の溝５３～５５を規定する部位には、溝５３～５５の両端に軸受け部４８が形成されている。軸受け部４８は、回動軸１０を回動可能に受け取る部材である。

【００３７】

本実施形態では、各溝５３～５５の両端の軸受け部４８は、当該溝の延びる方向に沿って当該溝の中央を貫く仮想面Ａ３（図５参照）に対し対称な形状を有している。図８は、図５のＡ－Ａ線断面図である。同図に示すとおり、本実施形態に係る軸受け部４８は、回動軸１０の断面形状よりもわずかに大きい円形穴を有する部材を、当該円形穴の側壁部分において当該円形穴が外部と連通するように切り欠いたような形状を有する。その結果、当該連通口Ｈ１を介して、回動軸１０を円形穴に挿入することができる（ただし、上記の切り欠きにより、ここでいう円形穴は完全な円形ではなくなっている）。図８の断面図において、この円形穴は、元の円の中心Ｐ１と連通口Ｈ１の両端Ｐ２，Ｐ３とを結ぶ２本の線の為す角度θは、１８０°よりも小さい。すなわち、連通口Ｈ１の幅は、回動軸１０の直径よりも狭い。しかしながら、回動軸１０を軸受け部４８の連通口Ｈ１に押し付けると、軸受け部４８及び回動軸１０が弾性変形し、回動軸１０は連通口Ｈ１を介して軸受け部４８の円形穴に挿入される。なお、連通口Ｈ１は、上方に向いて開口している。

【００３８】

上記の方法で、いずれかの溝５３～５５に対応する一対の軸受け部４８に回動軸１０を連結すると、ドア蓋２全体が回動軸１０を介して回動可能となる。回動軸１０は、軸受け部４８に対し着脱自在であり、取り付け時と同様、軸受け部４８及び回動軸１０が弾性変形することで、軸受け部４８から取り外し可能である。従って、保存容器１の配置が変わり、それに伴いドア蓋２の天面部４０に対する開閉方向を変更する必要が生じた場合には、適宜開閉方向を調整することができる。

【００３９】

図９は、ドア蓋２の底面図である。同図に示すように、ドア蓋２にはパッキン２８が取り付けられている。その結果、ドア蓋２が天面部４０の外周枠４１ａに接している状態、すなわち、ドア蓋２が取出口Ｓ１を閉じている状態では、ドア蓋２と天面部４０との連結部分に隙間が生じず、気密性が保たれるようになっている。具体的には、本実施形態に係るパッキン２８は、ドア本体２１の下面において、ドア本体２１の外周方向に沿って取り付けられている。ドア本体２１の下面には、互いに平行にドア蓋２の外周方向に沿って延びる２本のガイドレール２９が形成されており、これらの２本のガイドレール２９の間にパッキン２８が配置されている。パッキン２８は、パッキン６０と同様、着脱式のものであっても、ガイドレール２９及びドア本体２１に隙間なく一体化されていてもよい。パッキン２８は、ドア蓋２を閉めた状態で、天面部４０の外周枠４１ａに外周方向全体に亘って接触し、密着する。

【００４０】

＜３．保存容器の使用方法＞

以上述べたとおり、ドア蓋２の回動軸１０は、容器体３の３つの溝５３～５５の軸受け部４８に着脱自在に連結可能である。ユーザーは、保存容器１の設置場所や使用態様に合った開閉方向を選択し、当該開閉方向に対応する溝５３～５５の軸受け部４８にドア蓋２を取り付ける。また、設置場所や使用態様が変われば、ドア蓋２を取り外して別の溝５３～５５に取り付けることができる。

【００４１】

保存容器１の内部空間に被収納物を収納するときには、取出口Ｓ１を介して収納することもできるが、ボックス３０の開口Ｓ２を介して収納することもできる。後者の場合には、天面部４０をボックス３０から取り外して開口Ｓ２を開き、ここから被収納物を収納した後、再度天面部４０を閉じればよい。被収納物を保存容器１の内部空間に収納した後は、取っ手２１ａを持ってドア蓋２を回動軸１０周りに回動させることにより取出口Ｓ１を容易に開くことができ、当該取出口Ｓ１を介して被収容物を取り出すことができる。
【００４２】
なお、図２に示すように、本実施形態に係るドア蓋２は、取出口Ｓ１を閉じた状態から９０°以上回動可能に構成されている。従って、取出口Ｓ１を閉じた状態から９０°以上回動させた後、取っ手２１ａから指を離すと、そのまま開状態が維持される。その結果、取出口Ｓ１を介しての被収納物の出し入れが容易となっている。
【００４３】
＜４．変形例＞
以上、本発明の一実施形態について説明したが、本発明は上記実施形態に限定されるものではなく、その趣旨を逸脱しない限りにおいて、種々の変更が可能である。例えば、以下の変更が可能である。また、以下の変形例の要旨は、適宜組み合わせることができる。
【００４４】
＜４－１＞
上記実施形態では、外周枠４１ａの延びる方向に沿って３つの被連結部（溝５３～５５及び夫々に対応する軸受け部４８）が形成されていたが、ドア蓋２の連結部（回動軸１０）を連結する被連結部の数は、上述したものに限られない。例えば、溝５３～５５及び軸受け部４８と同様の構造が外周枠４１ａの四辺に配置されていてもよいし、二辺にのみ配置されていてもよい。外周枠４１ａの二辺に溝及び軸受け部４８が形成される場合においては、溝５３～５５のうちの任意の溝及びこれに対応する軸受け部４８を省略することができる。
【００４５】
＜４－２＞
ドア蓋２の形状及び取出口Ｓ１の形状は、上記実施形態のように正方形状に限られない。ただし、ドア蓋２の開閉方向を容易に選択可能な構造とするためには、ドア蓋２は概ね回転対称な形状であることが好ましい。例えば、円形や正多角形とすることができる。
【００４６】
上記実施形態では、ドア蓋２及び取出口Ｓ１は正方形状であり、被連結部（溝５３～５５）の１つに連結部（回動軸１０）を連結した場合の、外周枠４１ａに対するドア蓋２の回動軸線と、被連結部（溝５３～５５）の別の１つに連結部（回動軸１０）を連結した場合の、外周枠４１ａに対するドア蓋２の回動軸線とは、概ね９０°又は概ね１８０°を為すように構成されている。しかしながら、ドア蓋２及び取出口Ｓ１が正多角形であれば、例えば、取出口Ｓ１の各辺に沿って被連結部を形成することで、連結部と被連結部との付け替えにより、内角×整数の角度だけドア蓋の開閉方向を変更することができる。円形の場合にも、被連結部どうしが為す角度だけ開閉方向を変更することができる。
【００４７】
＜４－３＞
ドア蓋２を回動させるための構造は、上述したものに限られない。例えば、回動軸１０が天面部４０側に複数あり、いずれかの回動軸１０を回動可能に受け取る溝及び軸受け部４８がドア蓋２側に設けられていてもよい。或いは、回動軸１０及び天面部４０に、回動式に互いに噛み合う爪が設けられていてもよい。このように、ドア蓋２をドア枠である外周枠４１ａに対し回動式に連結可能である限り、ドア蓋２と天面部４０との連結構造は任意の態様とすることができる。
【符号の説明】
【００４８】
１　保存容器
２　ドア蓋
３　容器体
１０　回動軸（連結部）
３０　ボックス
４０　天面部

(9)　　　　　　　　　JP 6594314 B2 2019.10.23

４１ａ　外周枠
４８　軸受け部（被連結部）
５３～５５　溝（被連結部）
Ｓ１　取出口

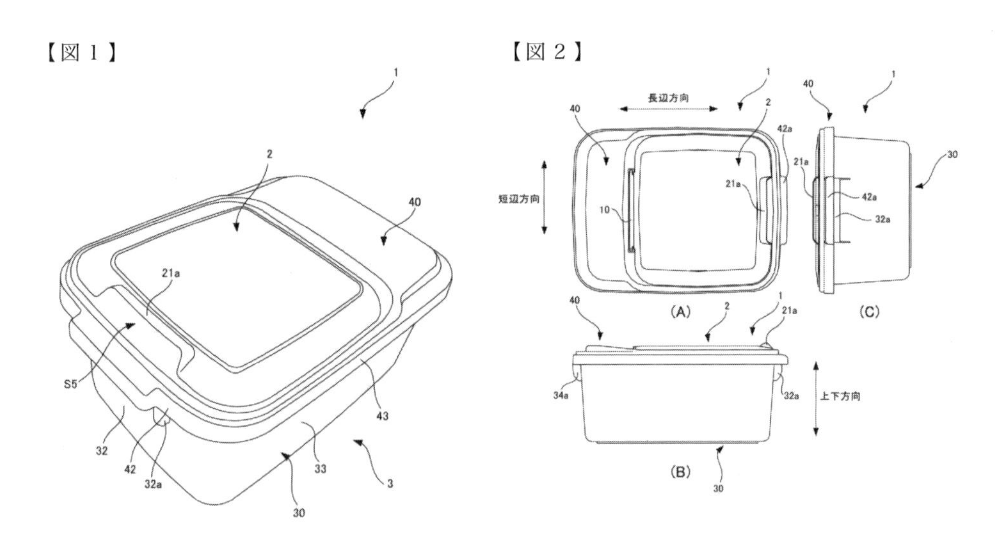

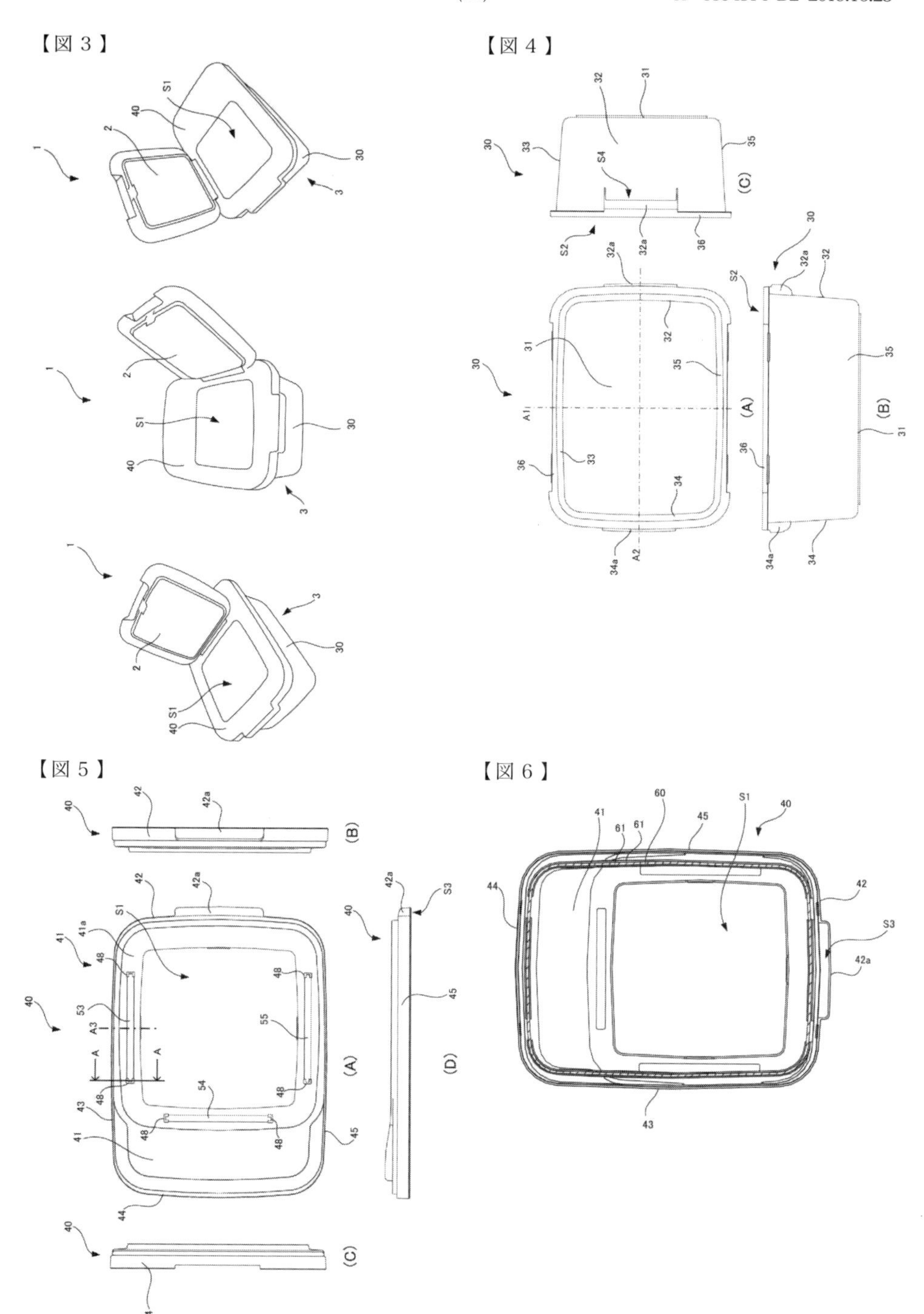
【図３】
【図４】
【図５】
【図６】

(11)　JP 6594314 B2 2019.10.23

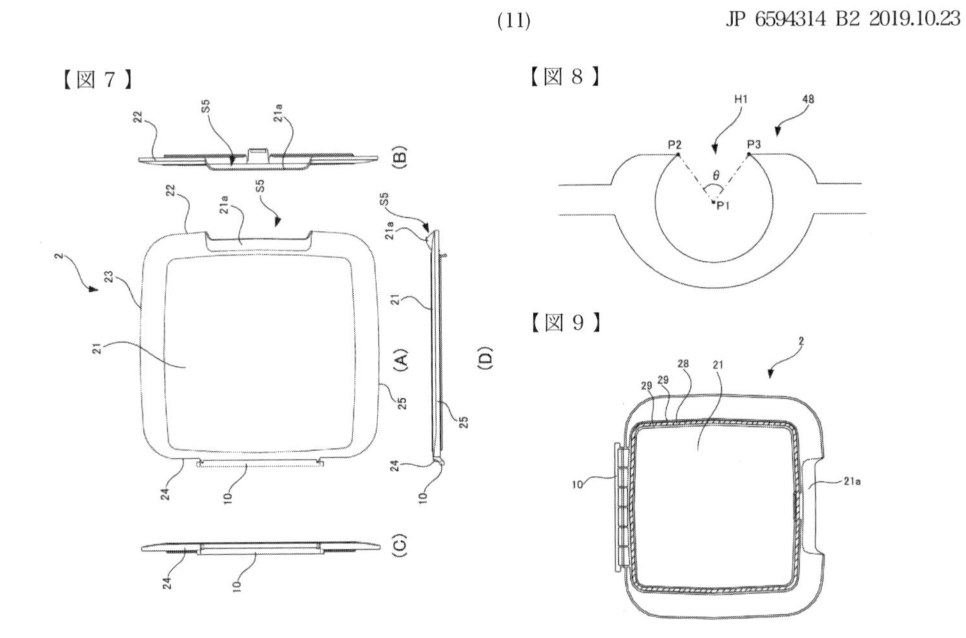

フロントページの続き

(56)参考文献　特開平０９－３０８５６７（ＪＰ，Ａ）
特開２００２－１２０９０３（ＪＰ，Ａ）
特開２００８－２７７７１３（ＪＰ，Ａ）
特開平１１－２９８１６４（ＪＰ，Ａ）
実公昭５３－０２０２４１（ＪＰ，Ｙ２）
特開平１０－２５０７７８（ＪＰ，Ａ）
米国特許第０２５２０５０８（ＵＳ，Ａ）

(58)調査した分野(Int.Cl.，ＤＢ名)
Ｂ６５Ｄ　３５／４４－３５／５４
Ｂ６５Ｄ　３９／００－５５／１６

Q6　登録原簿謄本の入手方法と読み方

登録原簿の謄本とは何ですか。どのような場合に必要で，どのように入手するのですか。また，何が記載されているのですか。

1　登録原簿とは

特許権，実用新案権，意匠権及び商標権は，いずれも特許庁に出願し各権利の設定登録によって出願人に権利が発生するものです（特許66条1項等）。また，相続等の一般承継によるものを除く権利の移転や，専用実施権の設定等は，いずれも登録原簿に登録されない限り効力が生じません（特許98条1項等）。

登録原簿には，特許登録原簿でいえば，特許番号，出願年月日，登録年月日，特許料の納付状態，当該特許権や専用実施権等の利用権関係等が記載されています（本項末尾の認証付の特許登録原簿謄本の見本例参照）。また，特許登録原簿の表示部には，無効審判の予告登録や確定登録等，無効審判請求の有無や帰趨なども記載され，甲区には特許権に関する登録事項が，乙区には専用実施権に関する登録事項が，丙区には通常実施権に関する登録事項が，丁区には特許権を目的とする質権に関する事項が記載されています。

特許権については平成24年3月まで通常実施権を設定することができたため，丙区が存在する権利もあります。詳しくは，平成24年4月以降の実施権登録制度の概要（https://www.jpo.go.jp/system/process/toroku/h24_4_seidogaiyou.html）をご覧ください。

なお，有限責任事業組合の事業において各組合員の共有となる特許権については，平成17年12月12日付の経済産業省令第118号による特許法施行規則の改正により，特許原簿上において，【その他】の記載項目として，「○○の持分は，○○有限責任事業組合の有限責任事業組合に基づく持分」と表示されることになりました。

また，民法組合についても，組合契約に基づく共有である旨の表示ができることとなっております。

2　登録原簿謄本の入手

特許登録原簿等の閲覧や謄本（なお，謄本に認証を付してもらうこともできます）の入手は，特許庁で可能です。また，一般社団法人発明推進協会（http://www.jiii.or.jp/）や各地域の発明協会，一般財団法人日本特許情報機構（http://www.japio.or.jp/）等を通じて，登録原簿謄本を入手することも可能です。

ところで，小規模の会社等では，会社が特許発明を実施していても，特許権者は代表者個人である場合があります。このような場合，会社が専用実施権の設定を受けていれば会社が当事者となって差止及び損害賠償請求をすることができますが，会社が独占的通常実施権の許諾を受けている場合には，会社が当事者となって損害賠償請求することは裁判例上認められていますが，差止請求は認められていないので注意が必要です（なお，会社が非独占的通常実施権の許諾しか受けていない場合には，差止請求も損害賠償請求も認められないと解されます）。

また，登録料不納付により権利が消滅していたにもかかわらず，実用新案権に基づいて製造販売禁止等を求める仮処分命令を申し立てたことについて，「本件仮処分事件の申立てについて，被保全権利を実用新案権とするのであれば，その登録原簿により同権利の存否等を容易に把握しえたのに比し，同申立てが被告製品の製造販売禁止等を求めるという内容であって，相手方（被告）に事実上の応訴の負担を強いることになる（民事保全23条４項参照）ほか，これが容れられた場合には，相手方の経済活動に回復しがたい打撃を与えるものであるから，権利消滅事由としての主張立証責任が相手方にあることや民事保全事件における緊急性の点を考慮しても，原告としては，本件実用新案権の登録原簿を事前に調査するなどして登録料納付の事実を調査すべき義務があるのにこれを怠り，登録原簿を事前に調査することはもとより，原告内部の登録料納付担当者等に対する事実確認すら行わなかったというのであるから，本件実用新案権の消滅（被保全権利が消滅した以上，保全の必要性もないに帰する。）にもかかわらず，これを看過して本件仮処分事件を申し立てた原告には重大な過失があり，その行為は違法であるといわざるを得ない」として，被告（反訴原告）の原告（反訴被告）に対する不法行為に基づく損害賠償請求が認容された事案（大阪地判平成13・12・11折畳み式のこぎり事件裁判所ウェブサイト）もありますので，注意が必要です。

以上のようなことからしても，依頼者の話だけでなく，権利者が誰であるか，権利が有効に存在しているかを確認する必要があります。

3　当然対抗制度

平成23年改正法で当然対抗制度が導入されたことにより，通常実施権の許諾を受けた者は，特許庁への通常実施権の登録を必要とせずに，特許権を譲り受けた者からの差止請求等に対抗できるようになりました。

改正前の旧特許法99条１項の規定に基づき効力を有していた「登録した通常実施権」は，新法施行日（平成24年４月１日）以後も引き続き第三者対抗力を持ち続けますので，新法施行日以後も特許権を譲り受けた者からの差止請求等に対抗できます。

新法施行日前の「登録していない通常実施権」は，特許権を譲り受けた者からの差止請求等に対抗することができませんでしたが，新法施行日以後は，新特許法99条の規定に基づき，第三者対抗力を有することとなります。

実用新案，意匠に係る通常実施権についても同様ですが（新案19条３項，意匠28条３項），商標については当然対抗制度は導入されていません。

Q６添付資料

特

特許第5000001号

見　本

表示部				
表示番号（付記）	登録事項			
１番	出願年月日	平成１７年　４月　１日	出願番号	2005−123000
	査定年月日	平成２０年 10 月　２日	請求項の数	1
	発明の名称	ハンドスキャナ装置		
			登録年月日	平成20年11月11日

特許料記録部
特許料
1年分　金額　2500円　納付日　平成20年 10月 15日　　2年分　金額　2500円　納付日　平成20年 10月 15日 3年分　金額　2500円　納付日　平成20年 10月 15日

甲区	
順位番号（付記）	登録事項
１番	東京都千代田区霞が関5丁目5番5号　　XX特許有限会社XX 登録年月日　平成20年11月11日
付記1号	【登録名義人の表示変更】 受付年月日　平成21年　4月20日　　受付番号　001111 特許株式会社

乙区	
順位番号（付記）	登録事項
１番	【専用実施権の設定】 受付年月日　平成21年　5月20日　　受付番号　002222 専用実施権者　東京都千代田区丸の内1丁目1番1号 株式会社パテント 1. 範囲 地域　日本全国 期間　本特許権の存続期間中（平成○○年○月○日迄） 内容　全部

丙区	
順位番号（付記）	登録事項
１番	【通常実施権の設定】 受付年月日　平成21年　1月　5日　　受付番号　000055 通常実施権者　東京都千代田区丸の内2丁目2番2号 TOKKYO株式会社 1. 範囲 地域　日本全国 期間　平成21年　4月30日まで 内容　全部 登録年月日　平成21年　1月20日

平成24年4月1日以降、特許権に係る仮専用実施権及び通常実施権の登録申請は行うことができません

丁区	
順位番号（付記）	登録事項

1 番	【質権の設定】 受付年月日　平成21年　1月　5日　　　　　　　受付番号　　000055 債権者　東京都中央区日本橋1丁目1番1号 　　　ジャパン株式会社 1. 被担保債権及びその発生年月日　平成21年1月1日　金銭消費貸借契約 1. 目的たる権利　特許第○○○○○○○号 1. 債権の額　　　1000万 債務者　東京都千代田区霞が関5丁目5番5号 　　　特許株式会社 　　　　　　　　　　　　　　　　登録年月日　　平成21年　1月20日

特許庁HP内の「原簿について」に掲載されている特許登録原簿（https://www.jpo.go.jp/system/process/toroku/document/genbo_about/genbo_p.pdf）より

Q7　包袋について

包袋とは何ですか。どのような場合に必要で，どのように入手するのですか。

1　包袋とは

包袋とは，出願書類や出願後の特許庁と出願人とのやりとりの記録を保存したものであり，特許査定までの記録を保存した包袋だけでなく，審判に関する記録を保存した包袋もあります。

特許出願以降の特許庁と出願人とのやりとりは，現在は電子データとして保存されていますが，昔は，袋の中に保存していたため包袋と呼ばれています。

包袋の内容には，明細書などの出願書類，拒絶理由通知書，意見書，手続補正書などが含まれます。

なお，公開公報，特許掲載公報，商標掲載公報などによってその内容が公開された出願については，何人でも包袋を閲覧することができます。

2　包袋の利用

特許発明の技術的範囲を確定するためには，審査経過において拒絶理由通知に対して出願人がどのような主張をしたのかということなども参酌されますので，特許発明の技術的範囲を確定するために包袋記録を確認する必要があるのです。

なお，特許請求の範囲（クレーム）の文言の解釈の一補助資料として出願経過を考慮する場合のほかに包袋記録は，次のような場合にも利用されるので留意が必要です。

すなわち，特許出願人又は特許権者が出願経過又は特許登録後の特許無効審判や審決取消訴訟において発明の内容や解釈について述べた意見と相反する主張を，特許権の権利行使の段階で主張することは包袋禁反言の原則（File wrapper estoppel）に照らし許されないとされ，その結果権利範囲が縮小解釈されたり，均等侵害が認められない場合があります。

ただ，出願人が出願経過の中で行った陳述が特許成立に関係ないか，不要な限定を加えるものであった場合には，包袋禁反言の原則は適用されないという裁判例もあります。

いずれにせよ，権利者側も侵害者側も，包袋を入手して，出願経過の中で如何なるやりとりがなされたかを確認することは不可欠なことです。

3　包袋の入手

特許庁や各地方の経済産業局特許室で包袋を入手することが可能です。

また，一般社団法人発明推進協会（http://www.jiii.or.jp/）や各地の発明協会，一般財団法人日本特許情報機構（http://www.japio.or.jp/）等を通じて包袋を入手することも可能です。

なお，独立行政法人工業所有権情報・研修館の特許情報プラットフォームにおいても，審査記録や審判記録を参照することができます。詳しくは，特許情報プラットフォームの操作マニュアルの「経過情報を参照する」のページ（https://www.j-platpat.inpit.go.jp/manual/ja/topics/four_infomation.html）をご覧ください。

第2章　紛争類型別の解説

第1 技術に関する紛争

Q8　発明の権利化

顧問先の会社が新しい発明をしたので，特許出願をしたいとのことです。特許出願手続はどのようになっていますか。また，出願時やその後の手続にかかる費用についても教えて下さい。

1　特許をとるための手続

顧問先の会社の発明がどれだけ優れたものでも，特許として保護するためには，その発明を登録しておく必要があります。その会社が，特許を受けようとする場合は，出願し，一定の手続を経て登録されます（職務発明についてはQ15参照）。

（1）出願

特許を受けようとする者は，一定の事項を記載した願書を特許庁長官に提出しなければなりません（特許36条）。願書には，明細書，特許請求の範囲と，必要な図面および要約書を添付します。

同じ発明について，複数の者が特許を求めた場合，日本では，先願主義といって，先に出願した者の権利が優先します（特許39条）。したがって，発明をした場合には，できるだけ早く出願しなければ同じ発明をした他人が権利をとってしまうことにもなりかねません。

（2）出願公開

出願から1年6月を経過したときは，特許庁長官は，特許出願について出願公開をしなければならないと定められています（特許64条）。また，早期に公開を請求することもできます（特許64条の2）。出願公開があると，競業者は，公開公報を見て，自らの事業活動に支障があるような特許については権利化を阻止しようとし，公知資料などを特許庁に情報提供します（特施規13条の2）。

出願人は，出願公開があった後に特許出願に係る発明の内容を記載した書面を提示して警告をしたときは，その警告後特許権の設定の登録前に業としてその発明を実施した者に対して，その発明が特許発明である場合にその実施に対し受けるべき金銭の額に相当する額（実施料相当額）の補償金の支払を請求することができます（特許65条1項）。ただし，補償金請求権は，特許権の設定登録があった後でなければ，行使することができません（特許65条2項）。

（3）審査

特許出願があったときは，何人も，その日から3年以内に，特許庁長官にその特許出願について出願審査の請求をすることができます（特許48条の3）。その場合，特許庁長官は審査官に審査をさせます（特許47条）。審査官が，拒絶理由を発見しないときは特許をすべき旨の査定がなされます（特許51条）。また，審査官が発明に新規性や進歩性がない等の拒絶理由（特許49条）を発見した場合には，出願人に，拒絶の理由を通知し，相当の期間を指定して意見書を提出する機会を与えます（特許50条）。拒絶理由通知が出た場合，意見書に説得されて審査官が特許査定をすることもまれにはあります。しかし，通常は，そのままでは，拒絶査定がなされます。そこで，拒絶理由通知を受けた出願人は，出願中の発明が特許にならない可能性が高いことから，意見書の提出とともに，明細書，特許請求の範囲または図面の補正を同時に行うことがよくあります（特許17条の２）。場合によっては，このような意見書・補正のやりとりが複数あって，特許査定か，拒絶査定がなされます。

（４）拒絶査定不服審判請求

拒絶査定がなされた場合，不服のある出願人は３月以内に，拒絶査定不服審判を請求できます（特許121条）。審判は３人又は５人の審判官の合議体で行われ（特許136条），法定の審理手続にしたがって行われます（特許131条以下）。審理の結果，拒絶審決がくだされると，不服のある出願人は，30日以内に知財高裁に審決取消訴訟を提起します（特許178条）。審決取消訴訟で，拒絶審決が取り消されると，再び，特許庁の審理に戻り，知財高裁の判断が特許庁の判断を拘束します。

（５）特許設定登録

審査官が特許査定をした場合，また，拒絶査定をしたが不服審判によって特許審決がなされた場合，出願人は第１年から第３年までの特許料を納付して，特許権の設定登録がなされます（特許66条２項）。特許権は，この設定の登録によって発生します（同条１項）。また，登録があった場合，特許公報が発行されます（同条３項）。

（６）特許異議申立て，無効審判請求

設定登録された特許について，特許登録要件がない等の瑕疵がある場合において，特許庁に再審査を求める手続として，特許異議申立てと無効審判請求があります。

特許異議は，異議理由があるときに，特許公報発行後６月以内に限り，誰もが特許庁に，申立てをすることができます（特許113条）。特許異議の申立てに対しては，特許を取り消すか維持するかの決定が出されますが，特許取消決定がなされた場合には，特許権者において，決定謄本送達後30日以内に，知財高裁に，決定取消訴訟を提起することができます（特許178条）。

無効審判は，特許に無効原因があるときに，利害関係人に限り，いつでも（特許異議申立てのような期間制限はありません），特許庁に，請求することができます（特許123条）。無効審判請求に対しては，無効審決か維持審決が出されますが，これら審決に対して不服がある者は，30日以内に，知財高裁に審決取消訴訟を提起することができます（特許178条）。

（７）上訴

知的財産高等裁判所での判決（拒絶査定不服審判請求における拒絶審決，特許無効審判請求における無効審決と維持審決に対する判断）に対して不服のあるものは最高裁へ上告することができます。

2 特許をとるための費用

特許をとるためには，出願人は，まず，出願料を，そして，審査請求するときに，出願審査請求料を特許庁に納付しなければなりません。そして，仮に，拒絶査定が出た場合には，拒絶査定不服審判を請求しなければならず，そのために，審判請求料を支払う必要があります。さらに，特許査定がなされた場合には，特許料を納付する必要があります。これらの費用の詳細については，特許庁のHP（https://www.jpo.go.jp/system/process/tesuryo/jidou-keisan/index.html）に簡易な計算ができるソフトが用意されているので，これを利用してください。なお，出願審査請求料，審判請求料，特許料については，請求項の数に応じて加算されますので注意が必要です。

また，それぞれの手続において，代理人として弁理士をつけた場合には，弁理士費用が必要となってきます。弁理士費用は，それぞれの弁理士事務所によって異なりますが，多くの事務所が，明細書の量や請求項の数に応じて費用が異なる弁理士費用の体系をとっていますので，注意が必要です。内容によって，事務所によって，全く異なってきますが，大雑把にいって，出願費用（拒絶理由通知への対応などは含まない）で20万から50万円かかるのが普通です。

Q 8 添付資料

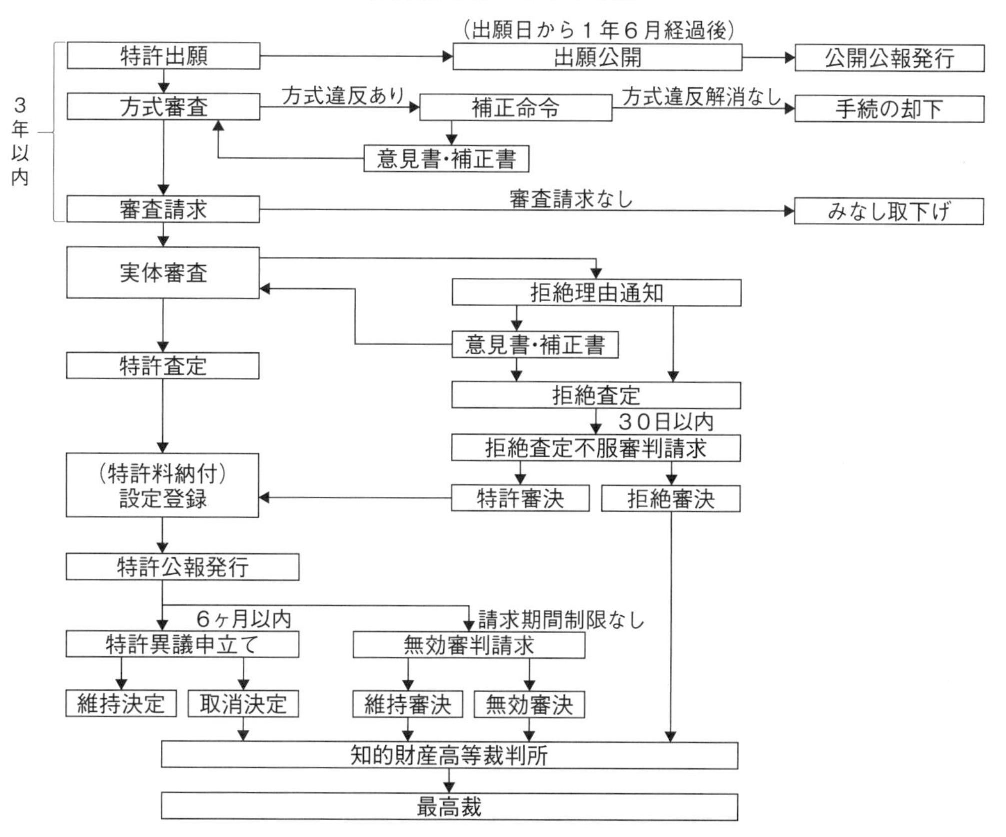

Ｑ９　特許権侵害に関する相談を受けた場合

顧問先のＡ社から,「競業他社のＢ社が, Ａ社が有する特許権を実施してＹ商品を販売しているが, Ｙ商品の販売をやめさせることはできないか」との相談を受けました。どのような対応をすればよいでしょうか。

１　はじめに

Ｂ社によるＹ商品の販売が, Ａ社が有する特許権を侵害するのであれば, 特許法100条１項・２項により, Ａ社はＢ社に対し, Ｙ商品の販売の停止やＹ商品廃棄等を請求することができます。

なお, 差止請求は, 特許権消滅後に請求することはできませんが, 損害賠償請求は, 特許権が消滅した後であっても, 特許権が有効に存続していた期間中に侵害行為があれば, 請求できます（ただし, 特許法125条本文に定める特許無効審決の確定によって特許が遡及的に消滅した場合はこの限りではありません)。

２　権利の確認

Ａ社の説明だけでなく, 権利者が誰であるか, 権利が有効に存在しているかを確認するため, 最新の登録原簿の謄本を入手し, 特許権が有効に存続していること（消滅している場合は, 消滅の日及び原因）を確認する必要があります。

なお, 権利者が登録原簿を事前に調査するなどして登録料納付の事実を確認すべき義務があるのにこれを怠り, 登録原簿を事前に調査することはもとより, 内部の登録料納付担当者等に対する確認すら行わなかったというのであるから, 権利の消滅にもかかわらず, これを看過して本件仮処分事件を申し立てた原告には重過失があるとして, 反訴原告からの不法行為に基づく損害賠償請求が認容された事案（大阪地判平13・12・11折畳み式のこぎり事件裁判所ウェブサイト）もありますので, 注意が必要です。

３　技術的範囲の確認

特許法70条１項は「特許発明の技術的範囲は, 願書に添付した特許請求の範囲の記載に基づいて定めなければならない。」と規定していますが, 特許発明の技術的範囲は, 特許請求の範囲の記載だけでなく, 明細書中の発明の詳細な説明の記載及び図面（特許70条２項), 公知技術, 出願時の技術水準, 審査経過におけるやりとり（補正, 意見書）等を参酌して, 解釈しなければなりません。

なお,「願書に添付した特許請求の範囲」とありますが, 必ずしも出願の際に願書とともに提出された当初の特許請求の範囲であったり, 特許公報や公開特許公報等に掲載された特許請求の範囲と同じであるとは限らず, その後に補正や, 訂正請求, 訂正審判による訂正がされた場合には, 補正あるいは訂正後の特許請求の範囲のことであり, 特許発明の技術的範囲を確定するためには, 特許公報による公示後の訂正等の経過を確認することも必要です。

そこで，特許公報を入手するとともに，特許権成立過程の包袋記録や異議事件，無効審判事件等の包袋記録を取り寄せ（特許公報等の入手方法については，本書Ｑ５～Ｑ７を参照），明細書中の発明の詳細な説明の記載及び図面，公知技術，出願時の技術水準，審査経過におけるやりとり（補正，意見書）等を参酌して，技術的範囲を解釈し，構成要件の分説と対比を行い，製造・販売等されている製品等が特許発明の技術的範囲に属するか否かを確認する必要があります。

また，特許請求の範囲は，請求項に区分され，請求項ごとに発明が記載されていますので（特許36条５項），特許発明の技術的範囲を定めるにあたっては，特許請求の範囲の記載が一項のみの場合はその記載が基準となり，また，請求項が複数の場合であっても，各請求項がそれぞれ独立して基準となります。

なお，特許請求の範囲に複数の項が記載される場合についての規定に変遷があるので，問題となる特許権の出願時期に注意する必要があります。

ちなみに，権利の対象は，特許請求の範囲に記載された技術的思想であり，特許権者が特許発明の実施品と考えているものが，必ずしも当該特許発明の技術的範囲に属するとは限りませんので，ご注意下さい。

特許発明の技術的範囲に属するか否かの判断は，技術的思想である特許発明と，何らかの技術的思想を具体化した構成や工程を有する被疑侵害品又は方法（以下「対象製品等」といいます）とを対比することになるので，決して容易なことではなく，特許に詳しい弁護士や弁理士に相談する必要があります。

また，特許請求の範囲の記載と文言上相違があっても，一定の条件下で特許権の効力が及ぶとされる場合がありますので（均等論），最判平成10・２・24民集52巻１号113頁（ボールスプライン軸受事件）が示した要件を充足するか否かも検討することが必要です。

さらに，対象製品等が特許発明の技術的範囲に属する場合であっても，先使用による通常実施権が存する場合（特許79条）や試験研究のためにする特許発明の実施（特許69条１項）など特許権侵害とならない場合もあるので，そのような事情の有無を確認することも必要です。

4　対象製品等の入手

市場において入手可能な場合は，対象製品等の現物を購入した上で，その構造・組成・作用効果について確認することが必要です。

対象製品等を購入できない場合や方法の発明で相手方の方法を直接確認できない場合，カタログ，取扱説明書，侵害品購入者からの情報，製品の分析結果，原材料の購入状況，相手方の内部情報，周辺技術の状況，侵害者による出願状況等の間接的な事実によって，侵害品や侵害方法を把握するように努めることになります。

5　侵害か否かの判断

構成要件の分説（特許請求の範囲の記載を，その文言をできるだけそのまま使用して数個に分解しておこなうべきです），技術的範囲と対象製品等との対比（作用効果の対比も重要）を行うことになりますが，専門家（弁護士・弁理士）へ相談する必要があります（なお，構成要件の分説・対比についてはQ10参照）。

また，特許発明の技術的範囲に属するか否かの判断については，専門家の鑑定，特許庁の判定請求（特許71条）や日本知的財産仲裁センターの判定（センター判定）の利用も考えられます。

さらに，特許無効審判を請求されたり，侵害訴訟において特許法104条の３第１項に基づく抗弁が主張されたりする可能性があることから，訴訟提起等の前に特許の無効理由の有無についても確認することも考えられますが，センター判定は，技術的範囲の属否だけでなく，特許の無効理由の有無についても判定を申し立てることができます。

なお，センター判定には，相手方がいる双方判定と，相手方なしに単独で行う単独判定があります。センター判定の詳細については，日本知的財産仲裁センターのHP（https://www.ip-adr.gr.jp/business/decision/）をご参照ください。

6　対応

自社の特許権が有効に存続し，対象製品等が特許発明の技術的範囲に属することを確認した場合であっても，いきなり訴訟の提起等法的手段に訴えるのではなく，まず侵害者に対して警告書を送付することが多いものです。

警告は，侵害の事実を指摘してその停止等を求めるものですが，ライセンス契約の締結申し入れを目的とする場合もあります。

また，警告書に対して，回答書などによる反論がなされ，さらに，当事者間でやりとりがなされることにより，侵害の成否等に関する争点が明らかになることもあり，十分な事実上又は法律上の主張が尽くされれば，場合によっては，訴訟を提起しなくとも紛争の解決に至ることもありますし，訴訟等の法的手続がとられた場合であっても，迅速な訴訟進行に資することになります。

なお，特許権を侵害しないにもかかわらず，特許権を侵害するとして，相手方の取引先へ警告書を出したりする行為は，不正競争防止法に定められた営業誹謗行為（不正競争２条１項21号）となり，逆に相手方から損害賠償等の請求を受けることもあるので注意しなければなりません。

Q10　特許権侵害の判断基準

B社商品が，A社の特許権を侵害しているか否かを検討してほしいとの相談を受けました。どのような点を検討して，どのように判断すべきでしょうか。

1　特許権侵害とは

特許権の侵害には直接侵害と間接侵害（特許101条）とがあります。直接侵害が成立するためには，被疑侵害品であるB社商品が特許発明の技術的範囲に属することが必要です。

2　技術的範囲の属否

（1）特許発明の技術的範囲の確定

特許発明の技術的範囲の確定については，Q９で述べたとおり，特許請求の範囲（必ずしも出願の際に願書とともに提出された当初の特許請求の範囲であったり，特許公報や公開特許公報等に掲載された特許請求の範囲と同じであるとは限らず，その後の補正や，訂正請求，訂正審判による訂正がされた場合には，補正あるいは訂正後の特許請求の範囲）の記載だけでなく，特許権成立過程の包袋記録，異議事件，無効審判事件等の包袋記録を取り寄せ，明細書中の発明の詳細な説明の記載及び図面，公知技術，出願時の技術水準，審査経過におけるやりとり（補正，意見書）等を参酌して，技術的範囲を解釈する必要があります。

（2）構成要件の分説・対比

B社商品が特許発明の技術的範囲に属しているか否かの判断は，技術的思想である特許発明と，何らかの技術的思想を具体化した構成や工程を有するB社商品とを対比することになります。

まず，特許請求の範囲の記載（複数の項が記載されているときはその中の特許権侵害の根拠にする項の記載）を，そのまま適正な箇所で区切って，数個の構成要件に分けます（構成要件の分説といいます）。そして，分説した特許発明の構成要件に対応するように，B社商品についても構成を分説し，それぞれを対比し，構成要件を充足するか否かを判断します。

なお，間接侵害の場合には，B社商品が，特許発明の技術的範囲に属する侵害製品の部材で，その部材が，侵害製品の生産にのみ使用する物であるか否か等特許法101条１号ないし３号の要件を充足するか否かを検討します。（Q12参照。方法の発明については特許法101条４号ないし６号参照）。

また，特許請求の範囲の記載と文言上相違があっても，一定の条件下で特許権の効力が及ぶとされる場合がありますので（均等論，最判平成10・2・24ボールスプライン軸受事件民集52巻１号113頁）が示した要件を充足するか否かも検討することが必要です。

ただ，特許発明の技術的範囲に属するか否かの判断は，技術的思想である特許発明と，何らかの技術的思想を具体化した構成を有するＢ社商品とを対比することになるので，決して容易なことではなく，特許に詳しい弁護士や弁理士に相談した方がよいでしょう。

また，特許発明の技術的範囲に属するか否かの判断については，Ｑ９で述べたとおり，弁護士や弁理士による私的鑑定，特許庁の判定請求（特許71条）や日本知的財産仲裁センターの判定（センター判定。なお，相手方がいる双方判定と，相手方なしに単独で行う単独判定がある）の利用も考えられます。

さらに，Ｂ社商品が特許発明の技術的範囲に属する場合であっても，先使用による通常実施権が存する場合（特許79条）や試験研究のためにする特許発明の実施（特許69条１項）など特許権侵害とならない場合もあるので，そのような事情の有無を確認することも必要です。

３　無効理由の調査

特許法104条の３第１項は，「特許権又は専用実施権の侵害に係る訴訟において，当該特許が特許無効審判により…無効にされるべきものと認められるときは，特許権者又は専用実施権者は，相手方に対しその権利を行使することができない。」と規定しています。

したがって，Ｂ社商品が特許発明の技術的範囲に属する場合であっても，特許に無効理由がある場合には，権利行使が制限されることになるので，特許に無効理由がないかどうかの調査を行うことも重要です。

なお，Ｑ９で述べたとおり，センター判定は，技術的範囲の属否だけでなく，特許の無効理由の有無についても判定を申し立てることができます。ただ，センター判定は，対世的に効力を生じる性質のものではありませんので，その利用は得失を見極めて行うのがよいでしょう。

Q11 特許権の無効事由

登録された特許権が無効になる例も多いと聞きますが，どのような場合に無効になるのでしょうか。また，同業他社の特許権の無効事由を検討するために，どのような資料について，どのように調査し，どのような点を検討すればいいのでしょうか。

1 特許権の無効事由の存在意義

出願された発明については，特許庁が当該発明の特許要件（新規性や進歩性等）を審査し（審査請求がなされた場合に限ります。），拒絶理由がないと判断された場合に特許権の登録査定がなされます。

しかし，このような審査を経ても特許要件を満たしていない発明に対して登録査定がされる場合があります。このように特許要件を満たしていない発明に対して特許権が与えられてしまうと，特許権者は本来独占権を得られない発明につきその実施を独占することができることになり不当な利益を得ることになります。他方で，特許権者以外の者は本来自由に使えるべき技術を実施することができなくなり不利益を被ることになります。

そこで，特許法は一定の無効事由を定め，一旦成立した特許権でも，無効事由が存在する場合には，その特許を無効にする審判を特許庁に請求できることにしています（特許123条）。

2 無効事由

（1）総説

特許権の無効事由は，特許法123条１項１号から８号に列挙されています。ほぼ特許出願の拒絶理由（特許49条）と共通ですが，特許法36条６項４号（特許請求の範囲の記載の仕方），同法37条（発明の単一性）及び同法36条４項２号（文献公知発明に係る情報の不開示）については拒絶理由ではあるものの無効事由とされていません。

（2）個別の無効事由

以下に個別の無効事由を挙げておきます。個々の事由の説明は紙幅の関係でここではできませんので他の書籍をご参照下さい。

（a）補正において新規事項の追加を行った場合（特許123条１項１号。特許17条の２第３項）

（b）特許法123条１項２号に記載されている事項

①権利能力のない外国人が特許を受けた場合（特許25条）

②産業上利用することができない発明について特許がされた場合（特許29条１項本文）

③新規性，進歩性が欠如している発明について特許がされた場合（特許29条１項，２項）

④拡大先願にあたる発明について特許がされた場合（特許29条の２）

⑤公序良俗違反の発明に特許がされた場合（特許32条）

⑥共同出願の規定に違反した場合（特許38条）

⑦先願でない特許出願に特許がされた場合（特許39条第１項ないし第４項）

（ｃ）条約に違反して特許がされた場合（特許123条１項３号）
（ｄ）開示不十分，特許請求の範囲の記載不備の特許出願に特許がなされた場合（特許123条１項４号，同36条４項１号又は６項４号を除く）
（ｅ）翻訳文の提出又は補正により外国語書面に記載されていない事項が追加された結果，特許の願書に添付した明細書又は図面に記載した事項が外国語書面に記載した事項の範囲内に無い場合（特許123条１項５号）
（ｆ）冒認特許の場合（特許123条１項６号）
（ｇ）特許付与後に外国人が権利能力を喪失した場合と条約違反になった場合（特許123条１項７号）
（ｈ）訂正が不適法な場合（特許123条１項８号，同126条１項但書，同条５項から７項まで（同120条の５第９項又は第134条の２第９項），同120条の５第２項但書，同134条の２第１項但書）

3　無効審判制度

上記の無効事由がある場合には，利害関係人に限り（但し，権利帰属に係る無効理由については特許を受ける権利を有することが必要），特許庁に特許権者を相手方として無効審判請求を行うことができます（特許123条２項）。また，無効審判の結果について不服がある場合には東京高等裁判所に対し，審決取消訴訟を提起することができます（特許178条。知的財産高等裁判所設置法２条２号により実際に取り扱うのは知的財産高等裁判所）。

この無効審判における無効審決が確定してはじめて当該特許権が対世的に無効となります。

なお，特許権侵害訴訟においても，最判平成12・4・11民集54巻４号1368頁（キルビー事件）において無効原因が存在することが明らかな特許権に基づく差止・損害賠償請求は権利濫用として許されない旨の判断が示され，平成16年に新設された特許法104条の３では，特許権が無効審判によって無効とされるべきものと認められるときは当該特許権による権利行使は許されないものとされています。

現在では，特許権侵害訴訟において特許法104条の３による権利行使阻止の抗弁の主張がなされることは一般的となっており，また，無効審判請求が侵害訴訟と同時並行で行われることも多いため，特許権侵害訴訟の際には無効理由の有無の検討は不可欠といえます。

4　無効事由の調査・検討

さて，無効事由の調査・検討ですが，考えられる無効事由によって異なります。一般的に無効事由として主張されることが多い新規性及び進歩性の欠如，補正要件違反，訂正要件違反といった事由や先願にかかる事由については，まず当該特許の出願経過書類（包袋資料）を調査することが出発点になるでしょう（包袋資料の意味・取得についてはＱ７を参照）。

包袋資料を検討することで，出願時に出願者が捉えていた当時の公知技術の水準や特許庁の審査官が当該特許出願を審査した時にどのような点で拒絶理由が存在すると考えたかというようなことを把握することができますし，補正や訂正が行われた理由についても把握することができます。また，包袋資料に開示されている資料以外の資料を調査する際の参考にもなります。

そして，例えば補正要件違反を主張するのであれば，補正された内容が出願書類の明細書及び図面に開示されているかどうかを検討することになりますし，新規性の欠如を主張するのであれば，当該特許の出願前にその発明と同じ内容のものが開示されていないか，当該特許権の技術分野に属する文献や同業他社のパンフレット，実際に使用されている例がないか等を調査することになります。また，進歩性の欠如を無効理由とするのであれば，当時の公知技術の水準を文献等で調査した上で，当該発明が当時の技術水準から当業者が容易に発明することができたものであるかどうかを検討することになります。

いずれにしても当該発明の技術内容と深く関わりを持つ事項を調査・検討することになりますし，場合によっては海外の文献等の調査も必要になりますから，当該発明の技術分野に詳しい方（同じ技術分野を研究している者，弁理士等）の協力を得て調査及び検討を行っていくべきでしょう。

5　特許異議申立制度

無効審判の請求人適格は，平成26年の特許法改正前では特に制限がありませんでしたが，同改正により，利害関係人のみに限定されるようになりました。

そして，利害関係人以外も含む広く第三者に特許の見直しを求める機会を与える手続としては，新たに特許異議申立制度が創設されました（特許113条）。特許異議申立制度は，早期に特許の安定化を図るべく，申立期間は，特許公報発行の日から６月以内に制限されています。

無効審判請求と特許異議申立ては，いずれも瑕疵ある特許の見直しをする手続ですが，以下のような違いがあります。

	特許異議申立制度	無効審判制度
手続	査定系手続（原則として，特許庁と特許権者との間で進められる）	当事者系手続（請求人と特許権者との間で進められる）
申立人・請求人適格	何人も	利害関係人のみ
申立て・請求の期間制限	特許公報発行の日から6月以内	設定登録後いつでも
異議理由，無効理由	公益的事由のみ（新規性，進歩性，明細書の記載不備等。特許113条各号）	公益的事由のみならず，権利帰属に関する事由も含む（冒認出願，共同出願違反。特許123条1項各号）
審理方式	書面審理	原則口頭審理
不服申立て	取消決定に対し，特許権者は，知財高裁に取消訴訟を提起可能。なお，維持決定及び申立て却下の決定に対する不服申立ては不可	請求人及び特許権者の双方とも，相手方を被告として，知財高裁に取消訴訟を提起可能

Q12　警告書を出す場合の注意点

依頼者のＡ社が，その競合先であるＢ社に対して特許権侵害を理由に警告書を発送する場合，注意すべき点をお教え下さい。

また，Ａ社は，Ｂ社の取引先Ｃ社にも警告書を送りたいと希望していますが，どうすればいいでしょうか。

1　事前の準備

（１）権利の存在及び内容の確認

特許権侵害を理由に警告書を送付するということですが，Ａ社はまず自ら有している権利の存在及び内容についてしっかり確認しておく必要があります。

（ａ）権利の存在

まず，Ａ社の特許権が存在しているか否かについて登録原簿に基づいて確認をしておいて下さい。警告書を送付してみたものの肝心の特許権が失効していたなどということのないように気をつけて下さい。

なお，権利者として侵害の差止め・損害賠償請求を行いうるのは，特許権者又は専用実施権者であり，通常実施権者は自らの権利に基づいてこれらの請求を行うことはできない（独占的通常実施権者において損害賠償請求のみ認めるのが通説・判例）ので注意が必要です。

（ｂ）権利の内容（特許発明の技術的範囲）

①　次に，特許権の内容（特許発明の技術的範囲）について，確認する必要があります。現在ほとんどの出願が法人等の従業員が行った職務発明によるものですが，現実に出願された内容が発明者の意図どおりになされているとは限りません。出願時の公知資料等との関係で発明者の意図よりも狭い範囲での出願がなされていることもあり得ますし，また，特許庁における審査の際に拒絶理由通知を受け，拒絶査定を避けるために発明の範囲を減縮補正するような場合も考えられます。このような場合には発明者が意図していた発明の範囲よりも実際に取得できた特許権の権利の範囲が狭いことが考えられます。特許権者が自らが有する特許権の権利内容を厳密には把握していないことがありますし，また，権利者は自らの特許権の範囲を広く解釈しようとする傾向があって権利者の認識と客観的な特許権の内容（特許発明の技術的範囲）が食い違っていることがありえます。

そこで，他社に特許権侵害を理由とした警告書を送付しようとする場合には，まず当該特許権の内容（特許発明の技術的範囲）を客観的に把握することが重要になります。

②　特許権の権利の範囲の解釈方法

特許権の内容（権利の範囲）は，まず特許請求の範囲の記載に基づいて解釈されます（特許70条１項）。特許請求の範囲の記載を離れて技術的範囲を認定することは許されませんから，いくら明細書に記載されていても特許請求の範囲に記載されていなければ権利の範囲には入りません（請求の範囲基準の原則）。

この特許請求の範囲の記載を解釈する資料として，明細書の記載及び図面を参酌します（特許70条２項。詳細な説明参酌の原則）。その他には，出願手続中に出願人が行った行為（補正，分割，意見書の提出等）や出願当時の公知技術を参酌して，当該特許権の内容（特許発明の技術的範囲）を確定させていきます。

（2）相手方の行為の検討

特許権の内容（特許発明の技術的範囲）を確認したら，相手方の行為が当該特許権の内容を実施するものであるかどうかを検討してみて下さい。

（a）文言侵害

よく「自社の製品とそっくりの物を他社が売っている。特許権侵害だ。」，「自社の製品と他社の製品の効果を謳うセールス文句が一緒だから特許権侵害だ。」とおっしゃって，「警告書を送ってほしい。」と依頼される方がいらっしゃいます。しかし，特許権侵害といえるためには，相手方の行為が，前述の特許権の内容（特許発明の技術的範囲）を実施していなくてはなりません（特許２条３項，68条）。

相手方の行為が，特許請求の範囲に記載された内容を満たしていなければ，権利侵害にはならないのが原則です（直接侵害・文言侵害）。

（b）均等侵害

もっともこれには均等論という例外があります。均等論とは特許発明の技術的範囲について，特許請求の範囲の記載の文言解釈を超えて，これと均等と評価される構成にまでその権利を及ぼすという考え方です（最判平成10・2・24ボールスプライン軸受事件民集52巻１号113頁）。

均等論の適用が認められる要件として，先の最高裁判決では，「特許請求の範囲に記載された構成中に対象製品等と異なる部分が存する場合であっても，①右部分が特許発明の本質的部分ではなく（非本質的部分），②右部分を対象製品等におけるものと置き換えても，特許発明の目的を達することができ，同一の作用効果を奏するものであって（置換可能性），③右のように置き換えることに，当該発明の属する技術の分野における通常の知識を有する者（以下「当業者」という）。が，対象製品等の製造等の時点において容易に想到することができたものであり（置換容易性），④対象製品等が，特許発明の特許出願時における公知技術と同一又は当業者がこれから右出願時に容易に推考できたものではなく，⑤対象製品等が特許発明の特許出願手続において特許請求の範囲から意識的に除外されたものに当たるなどの特段の事情もないときは（意識的除外，包袋禁反言），右対象製品等は，特許請求の範囲に記載された構成と均等なものとして，特許発明の技術的範囲に属するものと解するのが相当である。」としています。

文言侵害にあたらない場合には均等侵害といえるかを検討することになりますが，例外的に侵害を認めるものですから，より慎重な検討が必要でしょう。

（c）間接侵害

上記の直接侵害ではないものの特許権侵害とみなされているものとして間接侵

害があります（特許101条各号）。これは，特許権侵害の予備的・幇助的行為のうち，直接侵害を誘発する蓋然性が極めて高い一定の行為を特許権の侵害とみなすこととしたものです。同法101条１号，４号は専用品型間接侵害といわれ，特許権の実施行為に「のみ」使用する物を生産・譲渡等する行為を侵害とみなすこととしたものです。同法101条２号，５号が多機能型間接侵害といわれ，「その発明の課題の解決に必要不可欠なもの」について，「その発明が特許発明であること」及び「その物がその発明の実施に用いられること」を知って，生産・譲渡等する行為を侵害とみなすこととしています。なお，平成18年の法改正で，特許発明にかかる物（物を生産する方法の特許の場合はその方法により生産された物）を譲渡等又は輸出の目的で所持した場合にも侵害とみなされることになりました（特許101条３号，６号）。

（ｄ）Ａ社はＢ社の行為が上記の侵害行為に該当するかをよく検討してから，警告書を送付することになります。

2　警告書の内容

Ａ社は，自らが権利を行使する特許権について特許番号で特定した上で，その権利内容を記載（特許請求の範囲を記載）し，Ｂ社が当該特許権を実施していること（当該実施行為が当該特許権の構成要件を充足し，その実施行為が特許発明の技術的範囲を侵害していること）を記載します。そして，Ｂ社の侵害行為の差止を請求し，損害賠償を請求する旨を記載します。損害賠償を行うためにこれまでの製品の製造販売の数量や価格の報告を請求する場合もあります。なお，特許侵害罪は故意でなければ成立しないため，故意が明らかである場合以外は刑事告訴については記載しないようにして下さい（村林隆一・小松陽一郎・谷口由記共著・特許侵害訴訟戦略―特許権行使と対抗手段（発明協会，2002年）54頁，55頁）。

また，警告書は警告を行ったという事実を証明するために内容証明郵便で送付されることが多いと思われますが，この場合には別便で特許権の公報を送付することがよく行われています。

3　権利の内容の不安定性

特許権の内容（特許発明の技術的範囲）を確定することの必要性を先ほど述べましたが，実は特許権の内容というのは権利が登録された後でも変更されることがあり得ます。

一定の無効事由が存在する場合，特許権は無効審判が確定すると無効となり（特許123条），遡及的に権利が存在しなかったものとなってしまいます（特許125条）。

Ｂ社に特許権侵害を理由に警告書を送付した場合，Ｂ社が当該特許に無効事由が存在することを主張して無効審判請求を行うことが考えられます。

特許が無効となることを避けるために，Ａ社が特許権について訂正審判や訂正請求を行うことがあり（特許126条，134条の２），訂正が認められれば特許権の内容（特許発明の技術的範囲）が変更されます（特許128条，134条の２第９項）。

このように特許権については，一旦登録されたとしても，その後無効となりうること，訂正によって権利内容が変更されうることに留意しておくことが必要です。

4　C社への警告書の送付について

不正競争防止法２条１項21号は，競争関係にある者が，客観的真実に反する虚偽の事実を告知又は流布して事業者の営業上の信用を害する行為（営業誹謗行為・信用毀損行為）を不正競争行為として定めています。特許権者が，特許権侵害をしている相手方に対して直接警告をすることは同号の対象にはならないと解されている一方，相手方の取引先に対して，相手方が特許権侵害をしている旨を警告・宣伝することは，結果として特許権侵害が成立しない場合においては，主観的要素は関係なく，直ちに虚偽の事実の告知・流布行為として同号に該当すると解されています（なお，相手方の取引先への警告行為が特許権者による正当な権利行使と認められる場合には，同号の不正競争行為の成立を否定するとした裁判例もでてきていますが（東京地判平成13・9・20判タ1115号272頁，東京高判平成14・8・29判時1807号128頁，東京地判平成16・1・28判タ1157号255頁，東京地判平成16・8・31判タ1183号320頁参照。また，従来の通説にたちながら，故意・過失がないとしたものとして知財高判平成19・5・15裁判所HP。過失の有無について検討したものとして東京地判平成18・7・6判タ1233号308頁参照），学説では，従来の裁判例と同様に，権利侵害が成立しない場合においては，競争者の取引先に権利侵害の警告をする行為は同号に該当するという見解が有力です。）。

そのため，B社と取引をしているC社に対して警告書を送付する行為が，同号の営業誹謗行為・信用毀損行為に該当するおそれがあるため注意が必要です。すなわち，C社に警告書を出した場合に，将来B社の行為が特許権侵害でなかったことが確定した場合（B社の製品が特許発明の技術的範囲に属しない，A社の特許権が無効になった等の理由によって特許権侵害が成立しない場合）には，C社への警告書の送付が取引先への虚偽の事実の告知となって，同法２条１項21号の営業誹謗行為・信用毀損行為に該当する行為を行ったと判断されるおそれがあります。したがって，C社に対する警告書送付については，将来B社の行為が特許権侵害でないことが確定する可能性の有無等を十分に考慮し，慎重に判断すべきでしょう。

Q12 添付資料

令和5年○月○○日

〒000-0000
大阪市中央区○○1-1-1
B株式会社
代表取締役　乙山　一郎　殿

大阪市北区西天満○丁目○番○号
大阪西天満ビル○○○号室
○○法律事務所
A株式会社代理人
弁護士　X

警告書

冠省

当職は、A株式会社（以下「当社」といいます。）の代理人として、貴社に対し次のとおり警告いたします。

1.　さて、当社は、下記の特許権を保有しております（以下、「本件特許権」といい、その発明を「本件発明」といいます。）。なお、特許公報は別途郵送いたしますので、ご確認ください。

記

特許番号	特許第1234567号
出願日	平成○年○月○○日
出願番号	特願平○-10000
登録日	平成○○年○○月○○日
発明の名称	△△△△△△

特許請求の範囲
○○

2.　ところで、貴社が製造販売しておられる×××××××（以下「貴社製品×」といいます。）は、本件発明の構成要件を充足するものであります。したがって、貴社製品×を製造販売する貴社の行為は、本件特許権を侵害するものであります。

つきましては、直ちに貴社製品×の製造販売を中止されるよう警告いたします。また、あわせて次の事項について、本書到達後14日以内に書面によりご回答いただきたく、お願い申し上げます。

①貴社製品×の製造販売開始の時期

②貴社製品×のこれまでの製造及び販売の数量

Q13　警告書を受け取った場合の注意事項

依頼者Ｂ社が，Ａ社から特許権を侵害しているとして警告を受けました。これにどのように対処したらよいでしょうか。

1　事実確認

いきなり特許権を侵害しているとの警告を受けると驚かれると思いますが，まず事実の確認を行うことが大切です。特許権者は，権利侵害が存在するとして警告を行うのですが，実際に権利侵害が行われているか否かについては調査することが困難な面もあるため，警告の内容と事実が異なっていることがありえるためです。以下に確認すべき点について説明します。

なお，確認を行うために相当の期日を要することが多いので，相手方に，事実確認を行うため回答については一定の期間猶予を求める旨の通知を送っておくことが望ましいでしょう。

2　特許権の確認

（1）特許権の存在及びＡ社の地位の確認

まず，Ａ社が主張している特許権が存在しているか，またＡ社が特許権侵害を理由に侵害の差止を主張するには，自らが当該特許発明の特許権者又は専用実施権者である必要があります（通説・判例。なお，損害賠償請求の場合は独占的通常実施権者も可能です）が，Ａ社がかかる権利者であるか否かを確認する必要があります。これについては，特許登録原簿の謄本を取り寄せて確認をします。特許登録原簿謄本については，発明推進協会等に依頼すれば簡単に取り寄せることができますし，特許庁に申請することでオンラインでの閲覧も可能です。登録原簿謄本を確認して，特許権が現に存在しているか（期間満了していないか，特許料未納付により消滅していないか等），Ａ社が当該特許発明について特許権又は専用実施権を有しているかを確認して下さい。

（2）特許権の内容（特許発明の技術的範囲）の確認

次に，特許権の内容（特許発明の技術的範囲）を確認する必要があります。特許権の内容（権利の範囲）は，特許請求の範囲の記載に基づいて解釈され（特許70条１項），その解釈の資料として明細書の記載及び図面（特許70条２項），出願経過及び出願時の公知資料が用いられます。

そこで，先の登録原簿謄本と共に当該特許出願の包袋資料を取り寄せ（包袋資料の取得方法についてはＱ７参照），特許請求の範囲の記載を確認し，明細書や図面の記載，出願経過（補正，分割，意見書の提出等），出願時の公知資料を検討して当該特許権の内容を確定させていくことになります。

なお，出願当時の公知技術を調査することは特許権の権利範囲を把握するためにも（無効事由の有無を判断するためにも）必要不可欠です。公知技術については明細書に開示されてはいますが，それだけに限られるわけではなく，また，特許庁の審査官が審査において調査は行っているものの漏れている場合もあります。ですから，包袋資料のみならず，出願当時のパンフレットや文献等により当時の公知技術の水準を明らかにしていく必要があります。

3　B社の行為との比較

特許権の内容（特許発明の技術的範囲）を確認したら，それと対比して侵害として指摘されているB社の行為がその特許発明の実施行為（特許２条３項）といえるかどうかを検討してみて下さい。

原則として，B社の行為が特許請求の範囲の記載の全部を満たすものでなければ侵害とはなりません。例外的に全部の記載を満たしていなかったとしても均等論の適用を受けうる場合には侵害となります（均等侵害についてはQ12参照）。

この検討にも技術論が絡むことが多いので会社の技術者を始めとして専門家の意見を聞くことも重要です。

4　B社の行為が特許権の実施行為には該当しない場合

この場合には，侵害していない旨を相手方に回答することになります。

5　B社の行為が特許権の実施行為に該当する場合

（１）先使用権

B社が当該特許の出願よりも前に当該特許権の内容と同じ内容の発明を独自に完成させて，その発明を実施していたか，実施の事業の準備をしていた場合にはB社は先使用権を有しており，当該特許権を使用することができます（特許79条）ので，その旨を記載して回答することになります。

先使用権の裁判例については特許庁のHPから「先使用権に関連した裁判例集」（平成28年３月）がダウンロードできますのでご参照下さい（https://www.jpo.go.jp/system/patent/gaiyo/senshiyo/document/index/saibanrei.pdf）。

（２）無効理由の主張

一定の無効事由が存在する場合，特許権は無効審判（特許123条）が確定すると無効となり，遡及的に権利が存在しなかったものとなります（特許125条）。そこで，B社としては，特許庁に無効審判の請求を行うことが考えられます。また，特許法104条の３により，無効審判において無効にされるべきものと認められる特許権については特許権者又は専用実施権者は相手方に権利行使ができないとされていますから，B社としてはA社に対し，無効事由が存在する旨通知しておくことも有効です。

（３）和解の交渉

（１），（２）のような事由がない場合や，あっても明確ではない場合には，A社と和解の交渉を行うことになります。その場合には，B社は設計変更等，特許権侵害を避ける工夫をする，特許権侵害となる製品の製造販売の中止，ライセンス契約の締結等の方策をとることになりますので，方針を決めてA社との交渉に臨むべきでしょう。

Q13 添付資料

回答書

〒000-0000
大阪市北区西天満〇丁目〇番〇号
大阪西天満ビル〇〇〇号室
〇〇法律事務所
A 株式会社代理人
弁護士　X　殿

拝啓　時下、益々ご清祥のこととお慶び申し上げます。

当職は、B 株式会社の代理人として、貴職に対し、次のとおり回答いたします。

さて、令和 5 年〇月〇〇日付「警告書」を拝見致しました。

弊社製品×××××××が A 株式会社の特許権（発明の名称△△△△△△、特許登録番号第 1234567 号、以下「本件特許権」といい、その発明を「本件発明」といいます。）を侵害するとのご指摘ですが、弊社としましては、本件発明のうち、〇〇〇〇の点について別の構成を用いており、何ら本件特許権を侵害するものではないと思料いたしております。

しかしながら、ご指摘を頂きましたので、現在慎重に再度の調査を行っております。調査後改めてご回答をさせていただきますので、正式なご回答につきましては今しばらくお待ちいただきますようお願い申し上げます。

敬具

令和 5 年〇月〇日

大阪市北区西天満△丁目△△番△号
弁護士合同ビル△△号室
△△法律特許事務所
通知人 B 株式会社代理人
弁護士 弁理士　Y

Q14　特許侵害品の輸入差止，税関差止，並行輸入等

顧問先のＡ社から，「競業他社のＢ社がＴ国内で製造されたＹ商品を輸入し販売しているが，Ｙ商品はＡ社の特許権を侵害している」と相談されました。Ａ社としては，何ができるでしょうか。

また，Ｙ商品がＴ国内の権利者から購入された並行輸入品の場合は，どのような注意が必要でしょうか。

１　輸入の差止について

特許権者は業として特許発明の実施をする権利を専有しており（特許68条），許諾なく特許発明を実施する者に対しては，その行為の差止，侵害品の廃棄を請求し（特許100条１項，２項），また，その行為によって被った損害の賠償を求めることができます（民709条，特許102条，103条）。

輸入及び販売はいずれも特許発明の実施行為です（特許２条３項１号，３号）から，特許権者であるＡ社は，Ｂ社に対して，Ｙ商品の輸入及び販売を止めるよう請求することができ，損害賠償を請求することができます。

そして，Ｂ社がこれに応じない場合には，特許権侵害を理由に訴訟又は仮処分により，Ｙ商品の輸入差止を求め訴訟において損害賠償を請求することになります。

２　税関差止について

１で述べたようにＡ社はＢ社に対し，訴訟や仮処分をもってＹ商品の輸入・販売の差止，損害賠償の請求が可能ですが，訴訟や仮処分を行っていると時間がかかってしまい，侵害品の国内への流入を防ぐことが困難となる場合があります。そこで，より早期に侵害を停止するための手段として税関による輸入差止を求める方法があります。

関税法69条の11第１項は，輸入してはならない貨物（輸入禁制品）を規定しており，同項９号には「特許権，実用新案権，意匠権，商標権，著作権，著作隣接権，回路配置利用権又は育成者権を侵害する物品」が輸入禁制品として規定されています。そのため，特許権者は自己の特許権を侵害すると認める貨物が輸入されようとする場合，税関長に対し，当該貨物の輸入の差止を申し立てることができます（なお，同項９号の２では，外国から日本国内にある者に宛てて発送した貨物のうち，持込み行為（意匠２条２項１号又は商標２条７項）に係る意匠権又は商標権の侵害物品，同項10号では，不正競争防止法２条１項１号から３号まで，10号，17号又は18号に掲げる行為を組成する物品が輸入禁制品として定められています）。

とはいっても，税関自体が特許権の内容を把握しているわけではありませんから，自己の権利を侵害すると認める貨物が輸入されようとする場合に，特許権者の側で，税関長に対し，侵害の事実を疎明するために必要な証拠を提出して，当該貨物の輸入を差止め，認定手続をとるべきことを申し立てる必要があります（関税69条の13）。

申立に必要な書類としては，①申立書（税関様式），②登録原簿謄本・公報，③侵害の事実を疎明する資料及びサンプル・写真等（識別方法），④通関解放金の額の算定資料（特許権・実用新案権・意匠権・保護対象営業秘密のみ），⑤委任状（代理人が申立てする場合）があり，参考資料として提出すべきものとしては，判決書・仮処分決定通知書・判定書，弁護士等の鑑定書，警告書等，係争関係資料，並行輸入関係資料，その他侵害物品に関する資料があります。

なお，不正競争防止法２条１項１号，２号，３号，17号及び18号については経済産業大臣による意見書が，同項10号については経済産業大臣による認定書が，別途必要となります（詳細は，経済産業省による水際対策についての説明（https://www.meti.go.jp/policy/economy/chizai/chiteki/mizugiwa.html）を参照してください）。

日本には税関が９管区ありますが，これらの書類を最寄りの税関（窓口税関）に１部提出することになります。

侵害の認定制度の流れ，通関解放制度，特許庁長官に対する意見照会制度，供託制度等については紙幅の関係で割愛しますが，この制度については，税関HPの「知的財産侵害物品の取締り」のページ（https://www.customs.go.jp/mizugiwa/chiteki/）をご参照下さい。

3　Y商品がT国内の権利者から購入された並行輸入品の場合

（１）並行輸入とは

外国で製造された商品を輸入するに際し，我が国における総代理店等によって国内に輸入するという流通経路を通らずに，外国で販売された商品を現地で購入した上，総代理店を通さずに総代理店以外の者が別ルートで輸入することを並行輸入といいます。

（２）特許権と並行輸入

商標製品の並行輸入については早くから認められていました（大阪地判昭和45・2・27パーカー事件判時625号75頁，最判平成15・2・27フレッドペリー並行輸入事件民集57巻２号125頁）。

特許製品の並行輸入が認められるかについては争いがありましたが，BBS並行輸入事件上告審判決（最判平成９・７・１判時1612号３頁）で，最高裁は，「我が国の特許権者又はこれと同視し得る者が国外において特許製品を譲渡した場合においては，特許権者は，譲受人に対しては，当該製品について販売先ないし使用地域から我が国を除外する旨を譲受人との間で合意した場合を除き，譲受人から特許製品を譲り受けた第三者及びその後の転得者に対しては，譲受人との間で右の旨を合意した上特許製品にこれを明確に表示した場合を除いて，当該製品について我が国において特許権を行使することは許されないものと解するのが相当である。」と判示しました。

つまり，特許製品については，①特許権者と譲受人との間で日本を販売先・使用地域から除外する合意を行い，②転得者等との関係では①の内容を特許製品に明確に表示していなければ，特許権侵害といえないことになります。

従って，T国の特許権者がA社自身かA社の子会社などこれと同視しうる者であって，かつY商品がT国内の権利者から購入された並行輸入品の場合には，上記の①，②の要件を満たしていない限り，特許権侵害とならないので注意が必要です。

Q15　職務発明

Ａ社は，従業員Ｂの研究により開発した発明について特許権を有し，これを実施しています。退職した従業員Ｂから職務発明に関する相当対価を請求されましたが，どうすればいいですか。

また，Ａ社は，今後の職務発明規程の策定に対してどのような点に注意すべきでしょうか。

1　職務発明について

職務発明とは，従業員等がその性質上当該使用者等の業務範囲に属し，かつ，その発明をするにいたった行為がその使用者等における従業員の現在又は過去の職務に属する発明をいいます（特許35条）。現在出願される特許発明のほとんどは職務発明です。

職務発明の場合であっても，本来はその発明の特許を受ける権利は発明を行った従業員に帰属し，使用者はその発明について特許が成立した場合に通常実施権が帰属するにすぎません（特許35条１項）。

もっとも，職務発明については，職務発明完成後に契約等をする事後承継のほか，予め契約又は就業規則等に規定しておくことで，特許を受ける権利を企業に取得させることを予約することも認められています（特許35条３項）。この点について，平成27年特許法改正前は，予約承継（原始的には従業者に特許を受ける権利が帰属し，使用者等に承継取得させる）のみが認められていましたが，平成27年改正特許法35条３項により，予め契約又は就業規則等で定めることで，特許を受ける権利を使用者等に原始的に帰属させる（原始使用者帰属）ことも認められるようになりました。

そして，この職務発明について，使用者等に特許を受ける権利又は特許権を取得させた場合，従業者等は，使用者等に対して相当の利益を受ける権利を得ることとなります（特許35条４項）。なお，平成27年の改正前特許法35条３項（現特許35条４項に対応する規定）は，「相当の対価」という文言であり，原則として金銭に限られていましたが，企業戦略に応じて柔軟なインセンティブ施策を講じることを可能とするとともに発明者の利益を守るべく，金銭に限らず金銭以外の経済上の利益を与えることも含めるようにするため，平成27年改正特許法35条４項では，「相当の利益」という文言に変更されました。

2　相当の利益（相当利益請求権）について

（1）相当利益請求権の法的性質

相当利益請求権の法的性質は特許法で定められた強行規定であると解されており（最判平成15・4・22オリンパス光学工業職務発明事件民集57巻４号477頁），例えこれを支払わない旨の合意がなされたりしても，従業者等は，相当の利益の請求をすることが可能です。

（2）相当の利益の算定方法

契約，勤務規則その他の定めにおいて相当の利益について定める場合には，相当の利益の内容を決定するための基準の策定に際して使用者等と従業者等との間で行われる協議の状況，策定された当該基準の開示の状況，相当の利益の内容の決定について行われる従業者等からの意見の聴取の状況等を考慮して，その定めたところにより相当の利益を与えることが不合理であってはならないとされており，不合理性が認められない限りは，その額をもって相当な対価額とされることとなっています（特許35条5項）。

そして，特許法35条6項は，平成27年の改正で導入されたものですが，同条5項の不合理性判断の法的予測可能性を向上させるために，経済産業大臣において，同項に例示される考慮事項の判断のあり方について具体的に明示するガイドライン（指針）を定めて公表する旨を規定しています。このガイドラインは，平成28年4月22日に経済産業省告示として公表されており，特許庁HPでもみることができます（https://www.jpo.go.jp/system/patent/shutugan/shokumu/shokumu_guideline.html）。

（3）相当の利益の定めが不合理と認められる場合

相当の利益についての定めがないとか，利益の支払いが不合理と認められる場合には，「その発明により使用者等が受けるべき利益の額，その発明に関連して使用者が行う負担，貢献及び従業者等の処遇その他の事情を考慮して」相当の利益の内容を定めるとされています（特許35条7項）。

そして，平成27年改正前の理解に基づくと，この場合の使用者等が受けるべき利益の額とは，特許法35条1項で既に通常実施権が与えられていることから，特許権者として発明を実施することによる利益ではなく，排他的独占権を有する地位から客観的に見込まれる利益をいうとされています（他人に実施許諾した場合の実施料は排他的権利から生じたものといえます）。さらに，その他にその発明に関連して使用者が行う負担，貢献及び従業者等の処遇その他の事情を考慮して定めることになります。

結局は裁判官の自由心証に委ねざるを得ない面もありますので，上記の事情に該当する事実についてはもれなく主張すべきでしょう。

なお，相当な利益の算定方法や関連する裁判例については，特許・実用新案の法律相談Ⅰ（小松陽一郎・伊原友己編 青林書院2019年1月）のQ37〔松本司〕，三山峻司「職務発明訴訟 対価算定の考慮要素と算出」金判1236号128頁等をご参照下さい。

（4）消滅時効

従来は，職務発明に基づく対価請求を現に勤務している従業員が行うことは考えにくく，退職した時点では発明がなされてから相当な期間が経過していることがほとんどでした。職務発明の相当利益の請求権は，法定の債権であるため，従業者が権利を行使することをできることを知った時から5年間行使しないとき，又は，権利を行使することができる時から10年間行使しないときは，時効によって消滅します（民166条1項）。なお，平成29年改正前の民法（旧民法）では，相当利益の請求権の消滅時効期間は，一般に10年（旧民法166条1項）と解されていました。

消滅時効の起算点が問題となりますが，消滅時効は権利を行使することができる時から進行するため（民166条1項），勤務規則等に相当の利益の支払時期の定めがある時は，その時から消滅時効が進行することとなります（最判平成15・4・22オリンパス光学工業職務発明事件民集57巻4号477頁）。そして，特許発明の実施の実績を考慮して相当の利益が支払われる方式（実績補償方式）を採用し，対象期間の実績に対応する利益に関する支払時期の定めが職務発明規程等にある場合には，当該期間の実績に対応する相当利益請求権ごとに，所定の支払時期が消滅時効の起算点となります（知財高判令和2・6・30裁判所 HP）。

勤務規則等に支払時期の定めがない場合については，特許を受ける権利を原始的に使用者等に帰属させているのであれば（原始使用者帰属），消滅時効は，特許を受ける権利が発生した時，すなわち，職務発明の完成時から進行すると考えられます。また，原始的に従業者等に帰属させた上で使用者等への予約承継を定めているのであれば（原始従業者帰属），権利の承継時から進行すると考えられます。

設問の場合にも消滅時効にかかっていないかについては検討を忘れないようにして下さい。

3　職務発明規程を作成する場合の留意点

これから職務発明規程を作ろうとする場合には，平成27年改正法が適用されます。そこで，職務発明に対する対価の基準の策定に際しては，上記ガイドラインも参照の上，従業員等から十分な意見の聴取を行い，使用者等と従業員等との間で十分な協議を行った上で基準を策定し，策定された当該基準を従業員等に開示しておくこと，そして定めた基準によって対価を支払うことが不合理と認められないような基準としておくことが必要です。

平成27年改正前のものですが，職務発明規程を作成する際の手続については，平成16年9月に特許庁が「新職務発明制度における手続事例集」を発表していますので参考にされることをお勧めします（https://www.jpo.go.jp/system/patent/shutugan/shokumu/document/shokumu/zireisyu.pdf からダウンロードが可能です）。

Q16　実用新案権

実用新案権の場合，特許とどのような点が違うのでしょうか。特に，実用新案権侵害の事件を担当する上で注意すべき点があればお教え下さい。

1　実用新案制度の意義

実用新案制度は，小発明とよばれる考案を保護するものです。特許制度ができた当時我が国ではまだ高度な技術開発能力がなかったため，小発明である考案を奨励し公開させる趣旨から，1905年（明治38年）にドイツ法制に習って導入され，大いに利用されてきましたが，近年の改正により出願件数が減少しています。

2　特許との異同

（1）昭和34年法

昭和34年法では，以下の点を除いてほとんど特許法と同様の手続と権利保護規定が置かれていました。

（a）小発明を保護するという趣旨から，保護の対象となる考案（自然法則を利用した技術的思想の創作をいう。新案２条１項）を「物品の形状，構造又は組み合わせ」に限定しており，特許のように広く発明全般（物の発明，方法の発明，物を生産する方法の発明）を保護していることと異なっています。

（b）特許の場合には，進歩性の判断基準が先行技術から容易に発明をすることができるか否か（特許29条２項）であるのに対し，実用新案の場合にはきわめて容易に考案することができるか否かとなっています（新案３条２項）。

（c）存続期間は，出願公告の日から10年（但し出願日から15年を超えない）とされており，特許より５年短い期間が定められていました。

（2）平成５年改正法

平成５年改正法では，無審査で登録をすることとし，存続期間も出願から６年とする等従来の実用新案制度を大幅に改正しました（平成５年改正法は平成７年７月１日から施行され，それ以前に出願されたものについては基本的に改正前の法律が適用されます）。

（a）無審査制度の導入

平成５年改正前には，実用新案権の設定には特許と同様の実体審査を行っていました。これを平成５年改正法では，ライフサイクルの短い小発明保護を適切に行うために，実体要件については無審査制度を採用しました。

実用新案出願を行うと，方式（新案２条の２第４項各号）の他基礎的な要件（新案６条の２各号）については審査が行われますが，それ以外の要件については無審査で登録がなされます。

（b）存続期間の短縮化

平成５年改正法では，無審査主義により早期に登録がなされること（出願から５ヶ月程度で登録されます。)，対象となる小発明のライフサイクルが短いことを考慮して，権利存続期間を出願から６年としました（新案15条)。

（ｃ）実用新案技術評価書制度

平成５年改正法では，実体要件の審査を経ることなく実用新案権の設定登録がなされるため，登録された実用新案権が実際には考案の新規性や進歩性等を欠くことが考えられます。そこで，実用新案技術評価書の制度が設けられました。

実用新案技術評価書は，実用新案権について，特許庁長官に請求し，審査官により権利の有効性に関する評価を行った結果を記載したものです（新案12条)。

実用新案権者が権利侵害を主張するためには，その前にこの実用新案技術評価書をとり，これを提示して警告した後でなければ，権利行使をすることができないものとされています（新案29条の２)。

特許権は実体審査を経て設定登録されますから，このような制度はありません。

（ｄ）実用新案権者の責任規定

前述のとおり実用新案では無審査で登録がなされるため，権利者もその権利行使に慎重になるべきであるとして，実用新案権を行使し，その後当該権利が無効となった場合には，権利者が相当の注意をもって権利を行使したことを立証しない限り，損害賠償責任を負うことになります（新案29条の３)。

特許権についてはこのような規定はありません。

（ｅ）侵害者の過失推定

特許権では，当該特許権の存在及び内容について侵害者が知らなくとも過失が推定されます（特許103条）が，実用新案権では平成5年改正法でこの推定規定の準用が削除されました。従って，実用新案権者が損害賠償請求を行う場合には，民法の原則に従って，相手方の故意・過失を立証する必要があります。

（３）平成16年改正法

平成16年改正では，登録実用新案に基づく特許出願制度（特許46条の２）が新設された他，権利の存続期間を出願の日から６年から10年に延長しています（新案15条)。なお，平成16年改正法の施行日は平成17年４月１日で施行日前に出願されたものは改正前の法律が適用されます。

３　実用新案権侵害の事件を担当する上での注意点

（１）前述したとおり，平成５年で大改正がなされており，平成16年改正法においても権利の存続期間が延長されています。従って，まず適用されるべき実用新案法を確定させることが必要です。

（２）現時点で存在する実用新案権には平成５年改正法及び平成16年改正法が適用されることになります。前述したとおり，平成５年改正法後の実用新案権の場合には，権利行使の前に必ず特許庁長官に対し，実用新案技術評価書の請求を行い，権利行使の際にはそれを提示することを忘れないようにして下さい。技術評価書の請求方法については，独立行政法人工業所有権情報・研修館HPの知的財産相談・支援ポータルサイト（https://faq.inpit.go.jp/industrial/faq/type.html）内の「実用新案技術評価請求書について教えてください。」のページを参照して下さい。

（3）また，特許権と異なり，実用新案権侵害についての過失は権利者側に立証責任がありますから，この点にも注意をして下さい。

（4）さらに，権利者が権利行使又はその警告をした後，当該実用新案権が無効であることが確定しますと，権利者は，実用新案技術評価書の実用新案技術評価に基づいて権利行使又はその警告をしたとき，その他相当の注意をもって権利行使又はその警告をしたことを立証しない限り，相手方に対して損害賠償責任を負うことになります。従って，権利行使を行う際には，実用新案技術評価書を請求することはもちろん，専門家の鑑定等により，当該実用新案権が有効であることの確信を得るようにしておくべきでしょう。

（5）添付資料として実用新案技術評価書の典型的な記載例をつけております（特許庁・実用新案技術評価書作成のためのハンドブック付録・実用新案技術評価書の記載例1より）。

12. 評価と記載されているところを見ていただくと請求項1及び2については評価が1となっています。評価1とされているのは，引用文献等1（特開昭59-54321号公報）の記載から新規性が欠如していると判断されるおそれがあるということです。その引用文献のどの部分の記載によって新規性が欠如していると判断されるおそれがあるという評価になったかということは，評価についての説明の欄に記載してあります。

この技術評価書によると，請求項1及び2は新規性欠如のおそれがあり，請求項3は進歩性欠如のおそれがあるということになります。請求項4についてのみ新規性等を否定する先行技術文献は発見できないということですので，請求項1及至3については権利行使を控え，請求項4についてのみ権利行使を検討するということになるでしょう（なお，技術評価書の記載で先行技術文献が発見できないとされているからといって実用新案権が無効にならないと決まったわけではありません。権利行使や警告を行う前に，当該実用新案権の有効性について十分な検討・調査を行う必要があることは変わりませんのでご注意ください）。

Q16 添付資料

附属書C　実用新案技術評価書作成のためのハンドブック

記載例1

・典型的な記載例

実用新案法第１２条の規定に基づく実用新案技術評価書

１．登録番号　　　　　　　　３０１２３４５
２．出願番号　　　　　　　　実願２００６－０９２３４５
３．出願日　　　　　　　　　平成１８年5月１日
４．優先日／原出願日
５．考案の名称　　　　　　　寝具付きぬいぐるみ
６．実用新案登録出願人／実用新案権者
　　　　　　　　　　　　　　実用　太郎
７．作成日　　　　　　　　　平成１８年9月１日
８．考案の属する分野の分類　Ａ６３Ｈ　３／０２
　（国際特許分類）　　　　　Ａ６３Ｈ　３／００
　　　　　　　　　　　　　　Ａ６３Ｈ　３／０４
　　　　　　　　　　　　　　Ａ４７Ｊ　９／０８
９．作成した審査官　　　　　俵　香志代　（９１３６　３Ｌ）
１０．考慮した手続補正書・訂正書

１１．先行技術調査を行った文献の範囲
●文献の種類　　　日本国特許公報及び実用新案公報
　分野　　　　　　国際特許分類
　　　　　　　　　Ａ６３Ｈ　３／００－３／０４
　　　　　　　　　Ａ４７Ｇ　９／００－９／０８
　時期的範囲　　　～平成１８年9月１日
●その他の文献　　・○○○○編「生活百科（収納編）」（平成３年５月６日発行）○○社
　　　　　　　　　・特開昭６２－１２３４５６号
　　　　　　　　　・特開昭６３－２４６７３４号
　　　　　　　　　・実願昭６３－１３４５８７号（実開平０１－０２３４６４号）のマイクロフィルム

（備考）
『日本国特許公報及び実用新案公報』は、日本特許庁発行の公開特許公報、公表特許公報、再公表特許、特許公報、特許発明明細書、公開実用新案公報、公

開実用新案明細書マイクロフィルム等、公表実用新案公報、再公表実用新案、実用新案公報及び登録実用新案公報を含む。

１２．評価
・請求項　　　１及び２
・評価　　　　１
・引用文献等　１
・評価についての説明
　引用文献１の第３頁右下欄第２～５行目には、「本願発明は、…特に、子供用の玩具に変形可能で、その際には、寝袋の本体が玩具の詰め物となる様に構成された子供用の寝袋に関するものである。」と記載されている。
　引用文献１に記載されたものにおける「寝袋」は、本願の請求項１及び２に係る考案における「寝具」に相当する。また、引用文献１の図１には、玩具として犬の形状のものが示されており、引用文献１に記載されたものにおける「玩具」は、本願の請求項１及び２に係る考案の「ぬいぐるみ」に相当する。
　したがって、引用文献１には、「寝具とぬいぐるみを一体化したもの」及び「寝具とぬいぐるみを一体化したものにおいて、寝具をぬいぐるみの中に収容できるように構成したもの」が記載されている。

・請求項　　　３
・評価　　　　２
・引用文献等　１及び２
・評価についての説明
　引用文献１に記載された考案の認定については、請求項１及び２の評価についての説明のとおりである。
　引用文献２の第１２図には、寝具等を収納する袋において開口部をファスナーで開閉するものが記載されている。引用文献１に記載されたものにおけるボタンと、引用文献２に記載されたものにおけるファスナーとは、同様の機能を有するものである。したがって、引用文献１に記載されたものにおいて、そのボタンをファスナーに置換することは当業者がきわめて容易に想到し得たことである。

・請求項　　　４
・評価　　　　６
・引用文献等　１、２及び３（一般的技術水準を示す参考文献）
・評価についての説明

附属書C　実用新案技術評価書作成のためのハンドブック

有効な調査を行ったが、新規性等を否定する先行技術文献等を発見できない。

引用文献等一覧

１．特開昭５９－５４３２１号公報
２．○○○○編「生活百科（収納編）」（平成３年５月６日発行）○○社
３．特開昭５９－２３４５６号公報

評価に係る番号の意味
１．この請求項に係る考案は、引用文献の記載からみて、新規性がない（実用新案法第３条第１項第３号）。
２．この請求項に係る考案は、引用文献の記載からみて、進歩性がない（実用新案法第３条第２項）。
３．この請求項に係る考案は、その出願の日前の出願であって、その出願後に実用新案公報の発行又は特許公報の発行若しくは出願公開がされた出願の願書に最初に添付した明細書、実用新案登録請求の範囲若しくは特許請求の範囲又は図面に記載された考案又は発明と同一である（実用新案法第３条の２）。
４．この請求項に係る考案は、その出願の日前の出願に係る考案又は発明と同一である（実用新案法第７条第１項又は第３項）。
５．この請求項に係る考案は、同日に出願された出願に係る考案又は発明と同一である（実用新案法第７条第２項又は第６項）。
６．新規性等を否定する先行技術文献等を発見できない（記載が不明瞭であること等により、有効な調査が困難と認められる場合も含む。）。

特許庁・実用新案技術評価書ハンドブック付録・実用新案技術評価書の記載例１より

第２ 表示に関する紛争

Q17 表示を保護する制度

顧客吸引力のある社名，ブランド名，商品名等を保護する制度として，どのようなものがあるでしょうか。

1 表示を保護する理由

会社の名称（商号）や商品名或いはブランド名は，それぞれ会社を他の会社や他の商品，他のサービスを含めたブランドと「識別」させるための重要な表示手段です。この表示の有する「識別機能」こそ，すべての表示の保護の根幹であるといえるでしょう。会社の社名が他社と識別できることは，当該会社が自社を差別化させて経済競争で優位にたつための根本であり，ひいては事業に対する信用の源泉となります。また，商品やサービスに付された名称（商品名，サービス名）も他社との商品，サービスとの「識別」その出所が明確となり，商品・サービスの品質を確保し，ひいては商品名，サービス名それ自体が商品・サービスの広告宣伝機能を果たし，結果として顧客に認知されて購買につながり事業が発展することになり得るのです。

この表示のもつ識別機能を保護するため類似表示との誤認・混同を防止する必要があるのです。

2 各種法制度

社名（商号），商品名，ブランド名などの表示を保護する法制度として，商法，会社法，商標法，不正競争防止法を挙げることができるでしょう。

（１）商法

何人も，不正の目的をもって，他の商人であると誤認されるおそれのある名称又は商号を使用してはならず（同法12条１項），これに違反する名称又は商号の使用によって営業上の利益を侵害され，又は侵害されるおそれがある商人は，その営業上の利益を侵害する者又は侵害するおそれのある者に対し，その侵害の停止又は予防を請求することができます（同法12条２項）。

（２）会社法

何人も不正の目的をもって，他の会社であると誤認されるおそれのある名称又は商号を使用してはならず（同法８条１項），これに違反する名称又は商号の使用によって営業上の利益を侵害され，又は侵害されるおそれがある会社は，その営業上の利益を侵害する者又は侵害するおそれのある者に対し，その侵害の停止又は予防を請求することができます（同法８条２項）。

（３）商標法

商標を登録（登録要件などは同法３条，４条を参照）すると商標権が発生します（同法18条１項）。商標権者は，指定商品又は指定役務について登録商標の使用をする権利を専有し（同法25条），商標権を侵害する者又は侵害するおそれがある者に対し，その侵害の停止又は予防を請求することができ（同法36条）るとともに，一定の行為を商標権を侵害するものとみなし（同法37条）ています。また，損害が生じた場合は不法行為を理由に損害賠償を請求でき，特許法と同じく過失や損害の額の推定等の特別の規定があります（同法38条，39条）。

（４）不正競争防止法

同法は，第一に，他人の商品等表示として需要者間に広く認識されているものと同一若しくは類似の商品等表示を使用し，又はその商品等表示を使用した商品を譲渡し，引き渡し，譲渡若しくは引渡しのために展示し，輸出し，輸入し，若しくは電気通信回線を通じて提供して，他人の商品又は営業と混同を生じさせる行為（商品主体等混同行為，同法２条１項１号），第二に，自己の商品等表示として他人の著名な商品等表示と同一若しくは類似のものを使用し，又はその商品等表示を使用した商品を譲渡し，引き渡し，譲渡若しくは引渡しのために展示し，輸出し，輸入し，若しくは電気通信回線を通じて提供する行為（著名表示冒用行為，同法２条１項２号）を不正競争としています。これら不正競争によって営業上の利益を侵害され，又は侵害されるおそれがある者は，その営業上の利益を侵害する者又は侵害するおそれがある者に対し，その侵害の停止又は予防を請求することができ（同法３条），損害を被った場合は，損害賠償を請求することができます（同法４条）。この場合，損害の額の推定など特別の規定があります（同法５条）。

3　各法制度の関係

社名，商号の誤認については，商法・会社法による保護を受けるには不正の目的のあることが要件となりますが，不正競争防止法による場合は，そのような要件は必要ありませんが，商品等表示として需要者間に広く認識されていること（周知性）や，著名であることが要求されています。また，社名，商号そのものについては商標法上は直接の保護の対象となっていません。商品名や役務商標（サービスマーク），ブランド名は商標法及び不正競争防止法による保護の対象となりますが，商法，会社法上の保護規定はありません。商標法は，登録を受けた商標を保護しますが，不正競争防止法は登録の有無に無関係です。不正競争防止法は，要件を充足すれば商号については商法・会社法と，商品名や役務商標等については，商標法とそれぞれ重畳的に適用され得ます。

4　小括

社名や商品名などの表示に関する紛争が生じたときは，まず，どのような表示がどのような方法でもってその識別機能を害されているかを検討したうえで，法を適切に選択することが必要でしょう。

参考文献　小野昌延・三山峻司著「新・商標法概説〔第３版〕」（青林書院 2021年）
小野昌延・松村信夫著「新・不正競争防止法概説〔第３版〕上巻・下巻」（青林書院 2020年）
経済産業省知的財産政策室編「逐条解説不正競争防止法（令和元年７月１日施行版）」

Q18 商品名を決める際の注意点

依頼者から，新製品の商品名を決めるに当たり，知的財産権に関する法律に関してどのような点に気をつけたらよいかという相談を受けました。どのように回答すればよいでしょうか。

1 はじめに

新製品の商品名を決める際には，その言葉の意味内容に問題がないか（特に，外国語の場合），需要者に受け入れられやすい語感を有するかどうか，商品との関係での識別力が強いと認められる商品名であるか否か等について検討するほか，その商品名を商標として登録して自己の権利として守ること及び他人の権利を侵害しないよう注意することについても考慮することが必要でしょう。

2 商標として登録する場合

（1）商品名を商標として登録するには，一定の要件を満たす必要があります。これらの要件に抵触する商品名については商標として登録することはできません。

（a）積極的要件（商標３条）

積極的要件とは，どのような商標が登録を受けることができるかという要件です。法３条１項各号に掲げる商標以外のものは商標登録を受けることができ，同条項に列記されているものは，一言で言えば「識別力」のない商標といえます。もっとも３条１項３号から５号までに該当する商標であっても，それが使用された結果「識別力」を有するに至ったものは商標登録することができます（商標３条２項）。

商標法３条２項の適用が問題となった事例としては「立体商標」に関したものがあり参考になりますので挙げておきます（知財高判平成18・11・29ひよ子事件判時1950号３頁，知財高判平成19・6・27マグライト事件判時1984号３頁，知的高判平成20・5・29コカ・コーラ・ボトル事件判時2006号36頁，知財高判平成22・11・16ヤクルト容器立体商標第二次事件判時2113号135頁，知財高判令和１・11・26ランプシェード事件裁判所ＨＰ）。

以下，争われることの多い３条１項３号について検討します。

①商品の産地，販売地，品質，原材料，効能，用途，数量，形状（包装の形状を含む）（商品の産地，販売地，品質等は，業者が自由に使用してよいものであり，かつ商品等を取り扱う場合には必要な表示であって，多くは識別力を欠くもの）等を普通に用いられる方法で表示する標章のみからなる商標を識別力のない商標として規定しています。具体的には，商品が菓子で，その商品に産地である「信州」という商標を登録しようとする場合，「信州」は商品の産地を示す商標となり，登録を受けることができません。産地と規定されていますが，３号に該当するというためには，必ずしも当該指定商品が当該商標の表示する土地において現実に生産され又は販売されていることを要せず，需要者又は取引者によって，当該指定商品が当該商標

の表示する土地において生産され又は販売されているであろうと一般に認識されていることをもって足りるとされます（最判昭和61・１・23ジョージア事件判時1186号131頁。なお，最判昭和54・4・10ワイキキ・パール事件判時927号233頁参照）。

②その他識別性のない商標

商標法３条１項６号は，１号から５号までの総括的規定です。１号から５号までの規定に該当しない商標であって，外観上など「商標の構成より識別力のないもの」や「簡単ではないがありふれた商標で，多数人が現在使用しているため識別力のない商標」のほか，「公益上特定人に独占させることが不適当と認められるような商標」も含まれると解されます（小野昌延・三山峻司「新・商標法概説」〔第３版〕（青林書院，2021年）135頁）。具体的には標語（キャッチフレーズ）や元号（令和・平成）などが挙げられます。

（ｂ）消極的要件（商標４条）

消極的要件とは，「不登録事由」あるいは「登録障害」ともいわれ，同条に規定する要件に該当する場合は，登録が認められないものです。主なものを挙げることにします。

①周知商標（他人の業務にかかる商品若しくは役務を表示するものとして需要者の間に広く認識されている商標又はこれに類似する商標で，その商品若しくは役務又はこれらに類似の商品若しくは役務について使用するもの）。（商標４条１項10号）

周知商標と「同一」又は「類似」のほか，商品若しくは役務と「同一」又は「類似」かが判断されます。需要者の間に広く認識されていることを「周知」といいます。「周知」であるためには，必ずしも全国的に知られる必要はありませんが，一定の地域（隣接数県の相当範囲）以上で知られていることが必要です。周知であるかどうかの判断は，商品又は役務の性格，当該商品又は役務の取引の実情，商標として使用した期間の長短.使用された商品等の数・量などを考慮してケース・バイ・ケースで判断されます（東京高判平成11・２・９串の坊事件判時1679号140頁，最判昭和60・9・17DCC事件判決速報125号3320）。（なお，「周知性」の内容について，商標法４条１項10号，同法32条，不正競争防止法２条１項１号の相互の関係については，田村善之・商標法概説〔第２版〕（弘文堂，2000年）83頁参照）。

②先願商標（当該商標登録出願の日前の商標登録出願に係る他人の登録商標又はこれに類似する商標であって，その商標登録に係る指定商品若しくは指定役務又はこれらに類似する商品若しくは役務について使用するもの）。（商標４条１項11号）

ここでも登録商標と「同一」又は「類似」のほか，指定商品若しくは指定役務と「同一」又は「類似」かどうかについて判断されます（東京高判昭和51・7・13アリナミン事件無体集８巻２号249頁）。

③混同的商標（他人の業務に係る商品又は役務と混同を生ずるおそれのある商標。但し，商標法４条１項10号から14号までに掲げるものを除く）。（商標４条１項15号）

ここでは，商標それ自体のみならず，それ以外の取引社会の事情を考慮して，具体的に他人の業務にかかる商品又は役務と混同を生じるおそれがあるかないかを判断されます（東京高判昭和57・3・17花王フェザーシャンプー事件判時1053号155頁，最判平成12・7・11レール・デュ・タン事件判時1721号141頁，最判平成13・7・6ポロ事件判時1762号130頁）。

④著名商標（他人の業務に係る商品又は役務を表示するものとして日本国内又は外国における需要者の間に広く認識されている商標と同一又は類似の商標であって，不正の目的（不正の利益を得る目的，他人に損害を与える目的その他の不正の目的をいう）。をもって使用するもの（前各号に掲げるものを除く））。（商標４条１項19号）

著名商標に対するフリーライドやダイリューション（稀釈化）を防止するための規定です。著名商標としては，「ソニー」「三菱」などが挙げられるでしょう。裁判例として，知財高判平成20・9・17判時2031号120頁（USBEAR事件）があります。

（２）商標の登録にあたっては，先行する商標の調査が必要となります。この場合特許情報プラットホーム（J-PlatPat）（https://www.j-platpat.inpit.go.jp）が便利です。また，登録要件の詳細については，特許庁商標課編・商標審査基準〔改訂第15版〕（特許庁HP）が便利です。いずれにしても商品名を商標として出願・登録するには弁護士や弁理士によく相談することが必要でしょう。

3　他人の権利を侵害しないために

（１）商標法に関して

新商品の商品名が他人の登録商標（出願中で登録が見込まれる商標も含まれる）と同一又は類似でないことが必要です。また，商標の同一，類似のほか，商品又は役務と同一，類似でないことが必要となります。類似の判断については，商標を登録する場面と商標権侵害の場面とを分けて検討することが必要です（田村善之著「商標法概説」〔第２版〕（弘文堂，2000年）113頁以下参照のこと）。類否の判断としては，最高裁判決は，「商標の外観，観念または称呼の類似は，その商標を使用した商品につき出所の誤認混同のおそれを推測させる一応の基準にすぎず，従って，右三点のうちその一において類似するものでも，他の二点において著しく相違することその他取引の実情等によって，なんら商品の出所に誤認混同をきたすおそれの認めがたいものについては，これを類似商標と解すべきではない。」（最判昭和43・2・27氷山印事件民集22巻２号399頁）と判示したものがあるので参考になります。

（２）不正競争防止法に関して

新製品に付した商品名が，不正競争防止法２条１項１号の「周知表示に対する混同惹起行為」及び２号の「著名表示に対する冒用行為」に該当しないことが必要です。また，商品によっては，原産地や品質等について表示する場合がありますので，「原産地・品質等誤認」を招く表示をしないように注意することが必要です。「原産地・品質等」の誤認を招く表示を付した場合は，不正競争防止法２条１項20号，不当景品類及び不当表示防止法５条に違反する場合があるので注意が必要でしょう。

（周知表示に対する誤認混同惹起行為の点についてはQ22，23，著名表示に対する冒用行為の点についてはQ24を参照）。

Q19　他社が使っている商品名を使うことの可否

商標登録はされていないが他社がすでに使用している名称は，使用することができないのでしょうか。

1　はじめに

ここでは，まず他社がすでに使用している名称を，新たに商標として登録することができるのかという問題と，商標として登録はしないが使用することができるかという問題とに分けて検討してみましょう。

2　登録の可否について

わが国の商標法は，登録主義を採用しています（商標18条１項）ので，商品名称について登録しない限り，商標権は付与されません。また，登録に当たっては現在において，その名称を現に使用していることまでは要求されていません。さらに出願に際しては，先願主義を採用しています（商標８条１項）ので，先に出願した者が優先されます。従って，他社が出願登録していない商品名を，自己の商標として出願した場合でも登録されることがあります。

3　先使用権について

（１）登録された商標には，商標権が付与されますので，原則として，以後，独占的に指定商品または指定役務についてその商標を使用できるほか，他人が同一又は類似の商標を同一または類似の商品・役務に使用している場合には，使用の差止や損害賠償を請求することができます。

（２）しかしながら，出願前から日本国内において，不正競争の目的でなく，その商標登録出願に係る指定商品若しくは指定役務又はこれに類似する商品若しくは役務について，その商標又はこれに類似する商標の使用をしていた結果，その商標登録出願の際，現にその商標が自己の業務に係る商品又は役務を表示するものとして，需要者に広く認識されているときは，その者は，継続してその商品又は役務についてその商標を使用する場合は，その商品又は役務についてその商標の使用をする権利を有します（商標32条１項前段）。このような権利を先使用権といいます。

（３）他社に先使用権が認められると，あなたが出願する前から他社が使用していた同一の商標については，他社はそのまま使用することができることになります。従って，他社がある商品についてすでに商標として使用している名称がある場合には，商標法32条1項の要件を満たすと他社には先使用権が生じるため，あなたはその使用の差止めを要求したり，損害賠償を請求したりすることはできません。

（４）もっとも，他社に対しては，混同防止表示付加請求権を行使して，混同を防止するための適当な表示を付することを請求することができます（商標32条２項）。これは，商標権者の保護のためのみでなく，需要者が誤認混同しないようにするために必要な調整規定です。

（5）登録になっても，他社がすでに使用している名称が不正競争防止法で保護されるような表示のときは，次の4，5の問題となり，不正競争行為に該当することとなりますので注意が必要です。

4　使用の可否について

（1）次に商標として登録する場合ではなく，あなたが，他社が使用している名称をそのまま使用することができるか不正競争防止法2条1項1号の適用について検討します。

（2）不正競争防止法2条1項1号は，他人の周知の商品等表示と同一若しくは類似の商品等表示を用いて，他人の商品又は営業と混同を生じさせる行為を不正競争と規定し，これに該当する場合には，差止請求（同法3条），損害賠償請求（同法4条）を認め不正の目的をもって行った場合には刑事罰（同法21条）を規定しています。従って，この規定に反しない限りにおいて，あなたは他社がすでに使用している名称を使用できることになります。以下，同条項の要件について検討しましょう（周知性についてはQ22, 23）。

（3）類似性

類似性の判断は，取引の実情のもとにおいて取引者又は需要者が，両表示の外観，称呼または観念に基づく印象，記憶，連想等から両表示を全体的に類似のものと受け取るおそれの有無で判断されます（最判昭和58・10・7日本ウーマン・パワー事件民集37巻8号1082頁）。

（4）混同を生じさせる行為

混同には，出所が同一と思わしめる混同（狭義の混同）と両者の間に何らかの関係が存するのではないかと思わしめる程度のもの（広義の混同）とがありますが，不正競争防止法で規定されている「混同」は狭義の混同のみならず，広義の混同も含むものと解されています。また，現実に混同を起こす必要はなく，混同の「おそれ」があれば足りますが，漠然としたものでは足らず，一般取引者又は需要者の平均的な注意力，記憶能力を基にした具体的危険でなければなりません。混同を生じるか否かについては，①表示の著名性や識別力の程度，②表示の類似の程度，③商品，営業の内容の類似，④営業規模，営業方法の相違，⑤商品品質の相違の程度，⑥顧客層の重なり，⑦混同防止のための付加表示の存在の有無，などの諸要素が考慮されます（前記日本ウーマン・パワー事件，最判平成10・9・10スナックシャネル事件判タ986号181頁）。

異なる商品分野（競争関係に立たない）における同一名称の使用について，不正競争防止法により差止が問題となった先駆的事案に「ヤシカ」事件があり（東京地判昭41・8・30判時461号25頁），その他多くの判決例があります。

5　なお，自己の商品等表示として他人の著名な商品等表示と同一のものを使用することは，不正競争行為に該当（法2条1項2号）するので，同意がない限り使用できません。

Q20　商標の使用

他人の登録商標に係る標章を，どのように用いた場合でも商標権侵害になるのでしょうか。

1　はじめに

「商標」とは，人の知覚によって認識することができるもののうち，文字，図形，記号，立体的形状若しくは色彩又はこれらの結合，音その他政令で定めるもの（「標章」）で，業として生産・譲渡等する商品・役務に使用するものをいいます（商標2条1項）。標章の「使用」とは，商品やその包装に標章を貼付・刻印したり，標章を表示したラベルを取り付けること（同条3項1号），商品やその包装に標章を付したものを譲渡，引き渡し等すること（同2号）等をいいます。そうすると，ある商品やその包装に標章を付ければ，常に商標の「使用」として商標権侵害となるようにみえます。

しかし，商標の機能のうち最も本質的なものは，個性化された一群の商品（自分の商品）を他の商品群（他人の商品）から識別するという機能です（自他商品識別機能）。この本質的な機能が害されない限り，形式的に商標法2条1項・3項所定の要件を満たしていたとしても，商標権侵害とならないとされてきました。

従来は，明文はないものの，裁判例により認められてきましたが，平成26年改正（平成27年4月1日施行）により，第26条1項6号が新設され，「需要者が何人かの業務に係る商品又は役務であることを認識することができる態様により使用されていない商標」は商標権の効力が及ばないと明記されました。

以下では，商標的使用か否かが問題となった事案について，類型別に紹介します（類型は，牧野＝飯村編「新・裁判実務体系（4）」〔榎戸道也〕397頁を参考にしています。）。

2　商標的使用か否かが問題となった事案

（1）標章が商品の装飾ないし意匠と認識される場合

（a）非商標的使用について注目された裁判例

大阪地判昭和51・2・24判時828号69頁（ポパイアンダーシャツ事件）では，指定商品を被服として「POPEYE」を上部，「ポパイ」を下部にそれぞれ横書きし，その間にポパイの絵を付した登録商標を有する原告が，子供用アンダーシャツのほぼ全面に大きく「POPEYE」の文字と彩色したポパイの絵を付した物を業として加工・販売していた被告に対し，商標権侵害を理由に製造，販売等の差止を求めました。

【登録商標】

【被告標章】

【被告商品】

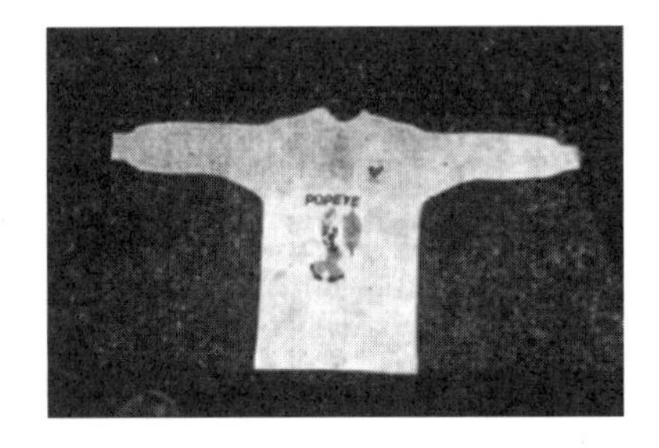

裁判所は，被告の行為は，その表現の装飾的あるいは意匠的効果である「面白い感じ」，「楽しい感じ」，「可愛いい感じ」などにひかれてその商品の購買意欲が喚起されることを目的として表示されており，一般顧客は被告による表示を商品の製造源や出所を確認する「目じるし」とはしないと判断しました。

しかし，この裁判例については，大書されていると，識別機能，出所表示機能を失うのかという疑問が呈されており，事案の特殊性が影響したのではないかと考えられています。

（ｂ）現在の動向

その後の裁判例では，商標と意匠とは排他的，択一的な関係にあるものではなく，意匠となりうる模様等であっても，それが自他識別機能を有する標章として使用されている限り，商標としての使用がなされているものとされています。

大阪地判昭和62・3・18無体集19巻１号66頁（ルイ・ヴィトン図柄事件）では，ルイ・ヴィトンが，偽バッグを販売する業者に対して，商標権侵害に基づく差止めを求めたところ，被告は，鞄の表面全面に本件標章を模様のように表示しているので意匠としての使用であるから商標権の侵害とはならないと主張したのに対して，本件標章は，商品に自他識別機能を有する標章として使用していることが明らかとして，被告の主張を否定しました。

【本件標章】

東京地判平成12・6・28判時1713号115頁（ジーンズステッチ事件）では，「ジーンズメーカーは，バックポケットのステッチをジーンズの自他識別機能を有するものとして重視している」として，被告は，装飾的にのみ用いておらず，商標として使用していると判断しました。

【原告商標】　　　　　【被告標章】

（２）標章が商品の属性・内容・由来等を示したり説明したりする表示として認識される場合

（ａ）原料等が入っていることを示す表示として認識される場合

（東京地判平成13・１・22判時1738号107頁タカラ本みりん入り事件）

被告（寶酒造株式会社）は,「タカラ本みりん入り」の表示を含むラベルを付した「煮魚お魚つゆ」等の商品を販売しました。なお,「タカラ本みりん」は被告が製造販売している商品です。

原告（寶醤油株式会社）は，指定商品しょうゆ，つゆ，だしの素につき，登録商標「タカラ」などの登録商標を有するところ，被告の行為は原告の商標権を侵害するとして，販売の差止め及び損害賠償を請求しました。

【被告ラベル「煮魚お魚つゆ」】

裁判所は，表示の大小，字体，位置関係，商品の性質，商号，タカラ本みりんのシェア等，様々な事情を考慮したうえで,「『タカラ本みりん入り』の表示部分は，専ら被告商品に『タカラ本みりん』が原料ないし素材として入っていることを示す記述的表示であって，商標として（すなわち自他商品の識別機能を果たす態様で）使用されたものではないというべきである。のみならず，右表示態様は，原材料を普通に用いられる方法で表示する場合（商標法二六条一項二号）に該当するので，本件各商標権の効力は及ばない。」と判示しました。

（ｂ）　商品の形状を表す表示として認識される場合

（知財高裁平成23・３・28判時2120号103頁ドーナツクッション事件）

原告（西川産業）は，登録商標「ドーナツ」（第20類「クッション」等）を有する寝具の老舗メーカーです。被告（テンピュール・ジャパン）が，中央に穴があいた低反発性のクッションを「ドーナツクッション」と称して販売していました。原告は，被告の行為が商標権侵害（および不正競争防止法違反）にあたるとして，差止め及び損害賠償を求めました。原審は，請求を棄却し，原告が控訴しました。

裁判所は，被告による「ドーナツクッション」の文字の使用は，① クッションのイメージ図や説明文とともに表示されている，② 著名なハウスマーク「テンピュール®」とともに表示されている，③「ドーナツクッション」の語自体,「中央部分に穴のあいた円形，輪形の形状のクッション・・・」なる観念が生じる（識別力が弱い）ことから，これに接する一般消費者は，商品の形状を表すために用いられたものと認識するとして，出所表示機能を果たす態様で用いられているとはいえず，商標的使用にあたらないと判断しました。

（ｃ）プレビューの案内表示として認識される場合

（東京地判平成23・5・16裁判所HPクイックルック事件）

アップルジャパンが，コンピュータ製品での画面表示，被告製品の広告等に，「Quick Look」「クイックルック」の標章を付す行為が，登録商標「Quick Look」「クイックルック」（指定商品　第９類「電子応用機械器具及びその部品」等）の商標権を侵害するかが争われました。

裁判所は，①「“ｉｍｇ０８５２４.ｐｄｆ”をクイックルック」との表示は，被告ＯＳソフトウェア商品あるいはこれを搭載した被告コンピュータ商品が有する，ファイルを開かずにファイルの内容をすばやくプレビュー表示するという機能を利用する際の案内表示であり，②被告コンピュータ商品の出所は，「Mac Book」等の商品名から想起され，「Quick Look」の表示から想起されるものではない，③被告標章は，商標として使用されているものではないと判示して，原告の請求を棄却しました。

（３）標章が，その付された商品でない別の商品の名称，種類等を示す標識であると認識される場合

福岡地飯塚支判昭和46・9・17判タ274号342頁（巨峰事件）では，「巨峰」の文字を，ぶどうの包装容器の見やすいところに，容器内に収納されるぶどうの品種名として表示する行為について，指定商品を包装用容器とする登録商標「巨峰」の商標権を侵害するかが争われ，裁判所は，「巨峰」の標章は，内容物である巨峰ぶどうを表示したものであり，包装用ダンボール箱の出所を表示するものではないとして，商標権侵害を構成しないとしました。

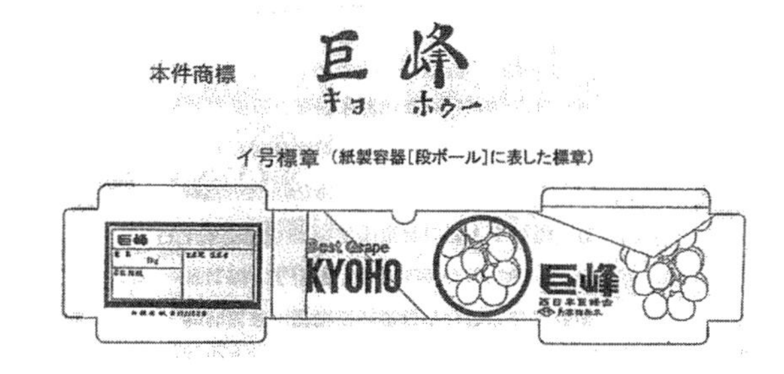

（４）その他商標としての使用が認められなかった例

（ａ）キャッチフレーズとして認識される場合

東京地判平成10・7・22判時1651号130頁（オールウェイズ事件）では，コカコーラの缶に「ALWAYS」や「オールウェイズ」の文字を付して販売することが，登録商標「オールウエイ」の商標権を侵害するかが争われ，裁判所は，「常に，いつでも」を意味する「Ａｌｗａｙｓ」の語は，需要者がいつもコカ・コーラを飲みたいとの気持ちを抱くような，商品の購買力を高める効果を有する内容と理解できる表現であり，販売促進のためのキャンペーンの一環であるキャッチフレーズの一部であると認識されるので，商品を特定する機能ないしは出所を表示する機能を果たす態様で用いられているとはいえないから，商標として使用されているとはいえないとして，商標権侵害を否定しました。

（ｂ）お祝いの言葉として認識される場合

名古屋地判平成4・7・31判時1451号152頁（ＨＡＰＰＹ　ＷＥＤＤＩＮＧ事件）では，婚礼用バッグである被告商品に「ＨＡＰＰＹ　ＷＥＤＤＩＮＧ」という装飾文字を付した行為について，登録商標「ＨＡＰＰＹ　ＷＥＤＤＩＮＧ」の商標権を侵害するかが争われ，裁判所は，「自他商品の識別機能を有する態様で使用されていない」と判示して，商標権侵害を否定しました。

（ｃ）　含有成分の略称と認識される場合

知財高裁平成27・7・16裁判所HP（ピタバ事件）では，錠剤に「ピタバ」の表示が付されているところ，「ピタバ」の表示は，医療従事者も患者も，有効成分である「ピタバスタチンカルシウム」の略称であると理解するとして，商標的使用にあたらないとしたうえで，商標法26条１項６号該当性を認めました。

（５）著作物の題号

書籍，CD，ゲームなど著作物の題号は，一般的には，当該著作物の内容を表し，自他識別機能を発揮しないため，題号を表示することは商標的使用として認められません。

東京地判昭和63・9・16判時1292号142頁（POS事件）では，「ＰＯＳ実践マニュアル」などの標章を被告書籍に付して販売した行為について，登録商標「POS」の商標権を侵害するかが争われ，裁判所は，被告の出版する書籍に表示された「POS」という文字について，「いずれも単に書籍の内容を示す題号として被告書籍に表示されているものであって，出所表示機能を有しない態様で被告書籍に表示されているものというべきである」として，商標権侵害を否定しました。

東京地判平成16・3・24裁判所HP（がん治療最前線事件）では，「がん治療の最前線」との標章を付した書籍を販売した行為について，登録商標「がん治療最前線」の商標権を侵害するか争われ，裁判所は，本件書籍の需要者は被告標章を最新のがん治療法を内容とする記事を掲載した雑誌であることを示した表示と理解するため，自他識別機能ないし出所表示機能を有する態様で使用されていないとして，商標としての使用にあたらないと判断しました。

CDの題号についても，「ＵＮＤＥＲ　ＴＨＥ　ＳＵＮ」なる被告標章をアルバムタイトルとしてCDに付した行為が，商標の使用にあたるかが争われた事案において，裁判所は，被告標章は，自他識別標識として機能を果たしていない態様で使用されているとして，商標の使用にあたらないとしました（東京地判平成７・2・22判時1526号141頁UNDER THE SUN事件）。

コンピュータ用ゲームソフトの題号（東京高決平成6・8・23知財集26巻2号1076頁三国志仮処分事件）についても，同様に商標の使用にあたらないとされています。

もっとも，著作物の内容を表す表示であったとしても，その態様から出所表示機能が認められる場合があります。

東京地判平成17・12・21判時1970号95頁（本当にあったＨな話事件）では，被告（出版社）が，「まんが快援隊」と題する雑誌の表紙に被告標章を付して出版したところ，本件登録商標の商標権を侵害するかが争われました。裁判所は，雑誌の題号（まんが快援隊）とは別に付された被告標章が，出所表示機能を果たす態様で用いられていると判断し，商標権侵害を認めました。

【本件登録商標】

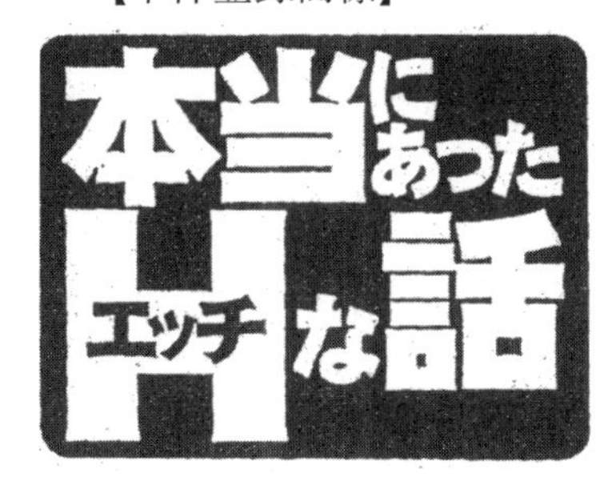

【被告標章１】

より広く裁判例を紹介する書籍として，小野昌延＝小松陽一郎＝三山峻二「商標の法律相談Ｉ」（青林書院）111頁～152頁が参考になります。

3　商標的使用か否かの判断

以上，見てきたように，登録商標に類似した被告標章が使用されている場合であっても，その使用態様からみて，出所表示機能を果たす態様ではない場合には，商標権侵害を構成しません。商標的使用であるか否かの判断における考慮要素，判断基準を整理すると，以下のようにいえるでしょう。

（1）考慮要素

商標的使用であるか否かの判断における考慮要素は，基本的に被告標章の使用態様であり（それを超えてどこまで取引実情を考慮すべきかについては，様々な考え方があると思われます），具体的には，被告標章と商品・役務の性質，種類，機能との関係，被告標章が独立した表示か，被告商品に本来の商標が付されているか等の事情です。

（2）判断基準

そして，商標的使用であるか否かの判断基準は，被告標章に接した需要者が，被告標章について商品等の出所を識別する態様であると合理的に理解できるか否かです。

Q21　ホームページ利用における商標トラブルへの対応

当社は，文房具を製造販売する会社です。最近では，卸販売だけでなく，当社のサイトを通じた販売も行っています。

当社のサイトに記載している表示について，他社から商標権侵害であるとして，警告書が届きました。どのように，対応すればいいでしょうか。

また，当社のサイトを多くの方に閲覧してもらうため，メタタグに他社の有名文具ブランド名を入れ，検索エンジンで当社のサイトがヒットするようにしています。法的に，問題はあるでしょうか。

1　はじめに

企業がホームページを用いて，自社の商品の案内を行うことは，一般的に行われています。これに加えて，自社のホームページにおいて，ネット販売を行ったり，さらには，大手の出店サイト（Amazon，楽天など）に出店して商品を販売することも少なくありません。

このような場合に，サイト上に，他社の登録商標と同一または類似の標章があった場合，その商標権者は，ネット検索により，容易にその標章を見つけることができます。

そのため，最近では，類似標章を見つけた商標権者が，そのサイト運営者に対して，警告書を送付することが，頻繁に行われています。

このような警告書の一部には，対象となった標章が，どのように使用されているのかを特定することなく，「貴社のサイトには，当社が保有する登録商標『○○』に類似する『○○』なる標章が表示されている」などとして，商標権侵害を主張するものがあります。

このような警告書を受け取った場合，安易に考えて放置していると，訴訟提起されるおそれもあります。そこで，すぐに商標を専門とする弁護士に相談に行き，適切な対応を取るべきです。それでは，どのような対応を取るべきか見ていきましょう。

2　ネット上に掲載した表示に対する警告書への対応

（1）問題の所在

このような警告書は，多くの場合，商標権侵害であるか否かを十分に検討することなく，ベルトコンベア式に発送しているようです。

そのため，①そもそも，サイト上の何頁の何行目のどの記載を対象とするのか特定されておらず，②また，その標章がどのように使用されているのか，文章の中の一つの言葉として記載されているにすぎないのか，あるいは，商品の特徴の説明を記載する用語として用いているのか，それとも，出所を識別するために記載しているのかを区別することなく議論がなされており，③さらには，「○○」標章でなく「○○△△」である標章についても，「○○」標章と同列に論じるという傾向にあります。

（2）最初の対応

このような警告を受けたものとしては，まず，どの標章が商標権を侵害していると主張するのか，特定を求めるところから始まります。

商標権者が，「へたな鉄砲も数撃ちゃ当たる」というような発想で警告書を出している場合には，相手から特定を求められただけで，権利行使への意欲が減少します（その後，連絡がなくなることもあります）。

（3）次の対応

商標権者が，サイト中の標章を特定してきた場合には，その標章の使用態様を検討します。商標的使用ではなく，文章の中の一つの言葉として記載されている（記述的表示）場合や，商品の特徴の説明を記載する用語として用いている（商品説明としての表示）場合には，第二弾の回答書において，当該標章は商標的使用ではない（あるいは，26条1項6号該当）と主張することになります。

また，「○○△△」標章と「○○」商標が類似と主張している場合には，結合商標の類否の判断基準（最判昭和38・12・5判時366号26頁リラ宝塚事件，最判平成20・9・8判時2021号92頁つつみのおひなっこや事件）を示して，非類似を主張することになります。

さらに，対象商品・役務が，登録商標の指定商品・役務商品と類似か否かが問題となることもあるでしょう。

（4）ネット上からの抹消

以上のような，商標的使用か否か，商標類似か否か，商品役務類似か否かという観点から検討した結果，対象標章が，商標権を侵害しないと一義的に判断することが困難である場合は，さらなる検討が必要です。すなわち，訴訟となるのを覚悟の上で，その標章の使用を続けるのか，それとも，ネット上から対象となる標章を抹消するかを判断することになります。ネット上の記載を変更するのは容易であるので，無用の紛争を避けるために，ネット上の対象標章を抹消する場合が多いでしょう。

（5）小括

商標権者が，たまたまネット上で見つけた類似標章について，警告書を送ることは，頻繁になされているため，顧問先などから相談を受けることも多いと思います。依頼者としては，商標的使用でないもの，商標類似でないもの，商品役務類似でないものに注目して，感情的になりがちですが，無用の紛争を回避するためには，一つでも商標権侵害の可能性のある標章がないか，慎重に検討をして丁寧な対応をとることが重要です。

3　メタタグと商標権侵害

（1）メタタグ

メタタグは，ウエブサイトを表示するためのhtmlコードで使用されるタグであり，検索エンジンによる検索に用いられます。ディスクリプションメタタグは，検索エンジンの検索結果画面においてウエブサイトのタイトルの下方に当該ウエブサイトの説明として表示されます。これに対して，キーワードメタタグは，検索結果画面には表示されません。

自社のメタタグに，他社の有名なブランド名を入れておくことにより，その名称で検索すると，自社のウエブサイトが検索されるので，SEO対策としてなされることがあります。

従来は，メタタグについて，様々な議論がなされていましたが，現在では，裁判例から，次のように整理されています。

（２）ディスクリプションメタタグへの記載は商標権侵害となる

大阪地判平成17・12・8判時1934号109頁（中古車の110番事件）では，「一般に，事業者が，その役務に関してインターネット上にウェブサイトを開設した際のページの表示は，その役務に関する広告であるということができるから，インターネットの検索サイトにおいて表示される当該ページの説明についても，同様に，その役務に関する広告であるというべきであり，これが表示されるようにhtmlファイルにメタタグを記載することは，役務に関する広告を内容とする情報を電磁的方法により提供する行為にあたるというべきである。」として，ディスクリプションメタタグへの他人の登録商標の記載について商標権侵害を肯定しています。

（３）キーワードメタタグへの記載は商標権侵害とならない可能性が高い

これに対して，キーワードメタタグでは，検索結果において表示されないため，視認性がないとして，商標権侵害にはあたらないとする裁判例があります（大阪地判平成29・1・19判時2406号52頁バイクリフター事件）。もっとも，使用態様によっては，視認性を有しない場合でも広告の内容となっていると認められる余地もあるので注意が必要です。

Q22　周知商品等表示の保護

当社商品の商品名「○×△」は，商標登録はしていませんが，大阪の業者の間ではよく知られています。ある業者が同種商品を同じ商品名で大阪府下で販売しているのですが，やめさせる法的手段はないのでしょうか。

また，その業者の販売地域が東北地方の場合はどうでしょうか。

1　不正競争防止法の適用の可否

不正競争防止法２条１項１号は，他人の商品等表示として「需要者の間に広く認識されているもの」と「同一若しくは類似の商品等表示」を使用し，「他人の商品又は営業と混同を生じさせる行為」を不正競争行為と規定し，これに該当する行為の差止め（同法３条）を認めるとともに，被害者には損害賠償請求権を認めています（同法４条)。

本問では，商品名「○×△」と他の業者が販売している商品が「同種商品」であって，しかも「同じ商品名」で販売しているというのですから，「他人の商品又は営業と混同を生じさせる」行為があるものと考えて差し支えないでしょう。

問題は，「○×△」という商品名が大阪の業者間ではよく知られている程度で，「需要者の間に広く認識されている」といえるかどうか，いわゆる周知性の要件を満たすかどうかです。

2　周知性の意味

（１）周知性とは，当該商品等表示が特定の商品或いは営業を示す表示として需要者の間に広く知られているという客観的な状態を言います。この要件は，単に使用されたことがあるという程度の表示に保護を与えることは適当でないと考えられるために要求された要件ですが，一義的な解釈は困難なので，現実の相談・事件の対応に当たっては具体的に検討する必要があります。

（２）周知性の認定対象となる人的範囲は，必ずしも消費者に限られるのではなく，卸売業者，小売業者なども含まれるものと解されています。もっとも，その周知性の有無の認定にあたっては，対象となる商品が一般大衆に広く提供される商品かどうか，特定の年齢や職業など限られた階層を対象とした商品かによっては，人的範囲も異なります。後者においては，その限られた顧客対象となる階層以外の者にとって周知かどうかは問いません。

（３）周知性の地域的範囲については，原則として日本国内において周知であれば足り，かつ，日本全国で周知である必要はなく，一地域で周知であれば足ります。具体的には，大阪府一帯少なくとも営業地域である大阪府北部で周知であればよいとする判決があります（大阪地判昭和53・6・30公益社事件無体集10巻１号237頁)。また，周知性を獲得するに至る経緯は，本人自身の営業・事業活動に基づくもの，広告・宣伝によるもの，また第三者（例えばテレビ，新聞）の行為（テレビ番組の特集・新聞の記事）によるものであってもかまいません（最判平成5・12・16アメックス事件判時1480号146頁)。

（４）それでは，不正競争防止法によって差止するには，自ら営業する一定の地域において周知であれば足りるのでしょうか。差止めの相手方の営業地域でも周知であることは必要ないのでしょうか。この点については，差止請求のためには，自己の営業地域で周知性を有するのみならず，相手方の営業地域においても周知性を有することが必要とされています（東京地判昭和62・4・27天一事件判時1229号138頁，大阪地判昭和61・12・25中納言事件判タ630号202頁）。これは，周知性の地理的範囲について相手方の営業地域が含まれていなければ，相手方地域内における営業の混同のおそれは生じないからです。従って，結局，周知性の地理的範囲は，自己の一定の営業地域と相手方の営業地域の両者において具備することが必要ですが，両者の営業地域が重なっていることまでは必要ではありません。

3　本問では，「○×△」という商品名は，少なくとも大阪の業者ではよく知られているのですから，大阪という一定の地理的範囲内の需要者の間で広く知られていると言え，周知性が認められます。それゆえ，大阪府下で販売している業者に対しては，その販売行為の差止めを求めることができます。

一方，東北地方で販売している業者に対しては，当然には差止請求することはできません。東北地方においても，「○×△」という商品名が周知性を取得していないと，東北地方における商品等の混同は生じませんから，差止請求は認められません。

もっとも，東北地方において，広告・宣伝によって「○×△」という商品名が周知となれば，たとえ，当社が東北地方において営業をしていなくとも，商品の周知性は獲得されるので，そのような場合は，差止請求は認められます。

Q23　周知性の検討材料

「周知性」の判断のためには，依頼者からどのような事情を聴き取り，どのような資料を求める必要がありますか。

1　周知性は，一定の客観的状態をいうのであって事実問題に属します。それゆえ，周知性の有無については，どれだけの事実を収集できるかによって決せられる面があります。

2　周知性の認定は，当該商品や役務の種類，営業規模・営業方法，販売状況，宣伝広告の態様・頻度，商品表示・営業表示の使用期間・使用方法，マスコミによる取材記事の有無・内容，インターネットのアクセス頻度，SNSのフォロワー数・動画共有サイトにおける再生回数など総合的に考慮して判断されます。

3　ですから，依頼者からの聴き取るべき事情，収集すべき資料としては，下記にあげるものが考えられます。

（1）商品等表示の内容

どのような商品等表示なのか。特に他社との区別において独創性があるか，特異性があるか，奇抜性があるかなど。また，営業表示では造語か，ありふれた言葉の組み合わせかどうか。またストロングマークかどうか。これらについては，依頼者より当該商品等表示の提示を受けることで確認します。

（2）商品や役務の種類

対象が一般大衆か，特別の階層かを判断するのに必要です。また，製造業か，販売業か，飲食業かなど業種別において需要者層が異なる業種かどうかを聴き取ります。会社のパンフレットなどの取り寄せが必要です。

（3）営業規模・営業方法

業界新聞や業界雑誌，特別仕様（ラッピング等）の車の使用，従業員の制服への表示などの有無。

（4）販売状況

販売場所（駅前か。ビルの中の店舗か。独立したビルか）。販売方法（通信販売か店頭販売か）。

（5）宣伝広告の態様・頻度

新聞・業界紙・雑誌への広告の有無。その回数。地域折込広告か新聞掲載広告か。テレビ・ラジオ・ケーブルテレビでのCMの有無・内容・回数（歌がついているかどうか。CMにタレントが起用されているかどうか）。ポスター・看板・チラシ・のぼりなどの内容・サイズ・色・設置場所。カレンダー・手帳など文具への広告記載とその頒布。公共交通機関など車内広告。各種イベントへのスポンサー広告。インターネットのバナー広告。

（６）商品表示・営業表示の使用期間・使用方法

商品発売の時期と期間。バーゲンセールやキャンペーンの実施の有無・期間。

（７）マスコミによる取材記事の有無・内容

テレビ・ラジオの番組での特集の有無。新聞・雑誌の記事。

（８）インターネットのアクセス頻度

ホームページへのアクセス回数。

（９）SNSのフォロワー数・動画共有サイトにおける再生回数

宣伝広告を行ったSNSのフォロワー数やいいね！の数，宣伝広告動画の動画共有サイトにおける再生回数，第三者によるSNSへの投稿数及びそのフォロワー数，第三者の動画共有サイトにおける紹介数及び当該動画の再生回数。

（10）アンケート調査の結果

これは公正な機関によって実施されたものであることが求められます。恣意的なアンケート調査ではあまり価値がありません。

4　以上のような資料を取り寄せ，裁判となった場合にはそれを効率よく提示できるように整理しておくことが必要です。

Q24 著名商品等表示の保護

依頼者Ａ社は，おしゃれで高級感のある洋菓子を全国的によく知られている商品名で販売していますが，これに類似した商品名でＢ社からドッグフードが発売されました。Ｂ社に対して何か主張できることはありませんか。

1 概要

（1）保護の手段

依頼者Ａ社としては，おしゃれで高級感のある洋菓子につき全国的に良く知られている商品名と類似した商品名でドッグフードが販売されることにより，①Ｂ社が営業努力もすることなくＡ社の商品名が有する顧客吸引力にただ乗り（フリーライド）すること，②また，Ａ社が永年の営業努力により得た商品名とＡ社との結びつきが薄められること（ダイリューション），更に，③類似の商品名がドッグフードに使われることでその商品名の持つ，おしゃれで高級感のある洋菓子の高い信用や，評判，良いイメージが損なわれる（ポリューション，ターニッシュメント）ことを恐れるはずです。

上記のようなことを防ぐためには，Ｂ社の商品名の使用の差止請求やＢ社の販売によってＡ社の売上げが減少している場合には，損害賠償の請求を検討することになります。

（2）主張の根拠

商品名の表示に関して保護を図るための主張の根拠となる法律としては，商標法，不正競争防止法があります。

商品名がその指定商品又は類似する指定商品・役務で商標登録されている場合には，商標権侵害の成否（商標法25条の専用権侵害と同法37条のみなし侵害の成否）を検討し，これが肯定される場合には差止（商標36条），損害賠償を請求することができます。

商標登録されていない場合でも，不正競争防止法２条１項１号（周知商品等表示に関する規定），２号（著名商品等表示に関する規定）を検討しますが，本問では商品名が付されているのは洋菓子とドッグフードということで混同のおそれが生じるか否かについては疑義があり，かつ，全国的によく知られている商品名ということですので，不正競争防止法２条１項２号を検討することになります。

2 「著名」商品等表示性

（1）「著名」とは，

現代社会において，企業では多角経営化やグループ化が進められており，これに伴い，著名な商品等表示の不正使用による顧客吸引力へのただ乗り（フリーライド），著名な商品等表示の稀釈化（ダイリューション），イメージの毀損（ポリューション，ターニッシュメント）の被害は広がる傾向にあります。そこで，著名な商品等表示をこれらの被害から保護するため，平成５年の法改正により不正競争防止法２条１項２号が新設されました。

「著名」とは，上記の趣旨からも，「周知」商品等表示（不正競争2条1項1号）よりもその広く知られている程度は高いと考えられており，全国的に知られている必要があるとする見解が多数です（経済産業省知的財産政策室編・逐条解説不正競争防止法（令和元年7月1日施行版）77頁）。

実際に，著名性を立証するためには，全国向けに行った広告・宣伝（新聞への広告掲載，テレビ CM，雑誌掲載や，見本市への出展など）に関する資料や，当該商品の売上やシェア率などの資料を提出することになりますので，これらの資料の確認整理を早いうちにA社には依頼しておくとよいでしょう。

なお，これらの広告・宣伝資料は，日付や広告宣伝地域，商品名が記載されている部分が必要となりますので，A社への依頼の際にはこの点注意するように伝えておくとよいでしょう。

（2）「類似」性

不正競争防止法2条1項2号の「類似」性は，同項1号の「類似」性と同様に，形式的，定型的要件とされ，その判断は，「他人の商品等表示と類似のものにあたるか否かについては，取引の実情のもとにおいて，取引者又は需要者が両表示の外観，称呼又は観念に基づく印象，記憶，連想等から両表示を全体的に類似のものと受け取るおそれがあるか否かを基準として判断すべきものである」（最判昭和59・5・29アメリカンプロフットボール事件判時1119号34頁）とされている同条項1号における判断方法と同様であると解されます（山本庸幸・要説不正競争防止法〔第4版〕（発明協会，2006年）108頁，小野昌延・山上和則・松村信夫編・不正競争の法律相談Ⅰ（青林書院，2016年）215頁，東京地判平成10・11・27ELLE 事件判時1678号139頁参照）。

ただ，不正競争防止法2条1項2号は，同項1号の場合と異なり，「混同を生じさせる」ことは要件となってはいないため，本要件は相対的に非常に重要な位置づけとなっています（前掲山本庸幸・要説不正競争防止法〔第4版〕108頁参照）。

3 結論

本問では，依頼者 A 社が商品名につきドッグフード又はドッグフードに類似する商品・役務を指定商品・役務として商標を登録しており商標権侵害が成立すれば，商標権侵害を理由にB社対して商品名の使用の差止や損害賠償を請求できます。

商標登録がされていない場合でも，不正競争防止法2条1項2号の著名商品等表示として，不正競争行為であることを理由に，B社に対して商品名の使用差止や損害賠償を請求できます。

Q25　原産地表示

顧問先のＡ社は，外国の自社工場で機械を製造し，これを日本に輸入して販売していますが，その製品の部品の大部分は日本から供給しており，外国では，これを組み立てるとともに，若干の加工をしています。Ａ社から「日本製と表示していいのでしょうか。」との相談を受けましたが，どのようなことを確認して，どのように回答すればいいのでしょうか。製品が食品の場合はどうでしょうか。

1　原産地の表示に関する規制

製品の原産地の表示については，①事業者間の公正な競争を確保する観点から，原産地誤認表示（不正競争２条１項20号），②一般消費者の利益保護の観点から，商品の原産国に関する不当な表示（景表法５条３号，昭和48年10月16日公正取引委員会公示第34号，以下「原産国告示」）として規制され，食品の場合には③食品表示法などにも定められています。

2　不正競争防止法上の原産地に関する表示の規制

（１）原産地の意義

原産地とは，その商品が生産，製造又は加工された地のこととされています。そして，原産「地」は，地名や国名をいい，行政区画だけでなく地域の地理的名称，特定の場所・地方も含みます。

（２）原産地の決定基準

原産地の決定基準については，商品の実体，すなわちその生産物が商取引の場におかれた場合，商品としての交易的主要素（商品の価値として重要視される要素）がどこで産出されたかによって決定すべきとされています。そのため，どこがその商品の原産地となるかは，商品の種類，特性など（農産物・水産物などの自然から直接生産される物か，繊維製品・機械などの人の技術力が加わった生産物か，どこで加工又は製造されたか）の需要者が商品の価値として重要視する要素がどの地で生じたかによって判断することとなり，その判断が困難な場合もあります。

刑事事件の裁判例では，ダイヤモンドの原産地については，ダイヤモンドのように加工のいかんによって商品価値が大きく左右されるものについては，その加工地が一般に「原産地」といわれているので，ベルギーにおいて加工されたダイヤについて，「原石ベルギー直輸入」との表示をすることは，原産地を偽るものではないとされています（東京高判昭和53・５・23原石ベルギーダイヤ事件刑裁月報10巻４＝５号857頁）。

3　景表法上の原産地に関する表示の規制

原産国とは，その商品の内容について実質的な変更をもたらす行為が行なわれた国とされ，原産国には原産地も含まれるとされています（原産国告示）。そして，実質的な変更をもたらす行為については，緑茶・紅茶については荒茶の製造，下着・寝着などについては縫製，腕時計についてはムーブメントの組立（ただし，側又はバンドが重要な構成要素となっている高級腕時計及び防水などの特殊な時計ではムーブメントの組立及び側又はバンドの製造）などとされています（原産国告示についての原産国の定義に関する運用細則）。他方，商品にラベルを付けその他標示を施すこと，商品を容器に詰め又は包装することなどについては，実質的な変更をもたらす行為ではないとされています（原産国告示の運用基準について）。なお，景表法は，以前は公正取引委員会の所管でしたが，現在は消費者庁へ移管されています。

4　製品が機械の場合

不正競争防止法の関係では，まずは問題となっている機械自体についてその商品の種類，機械的な構成，需要者の調査・確認とともに，そのうちどの部分が日本製であるのか，また外国での組み立てや加工はどのようなものか（内容・程度など商品に占める価値，購入時の選択要素としての重要性など）を調査・確認する必要があります。その上で，その機械における交易的主要素は何かを判断する必要があります。そして，①製品の部品の大部分は日本製であること，②外国では組み立てと若干の加工をしていることから，製品の部品の製造地とともに，組み立てや加工が重要な要素となっているような商品であれば，「日本製」とだけ表示することには問題があります。他方，製品の部品のみが重要な要素である場合には，「日本製」との表示に問題はないことになります。ただ，原産地の判断には困難を伴い，最終的には訴訟での判断によることになりますので，加工地などの表示も併記することが望ましいですし，表示自体にも気を付ける必要があります。純粋な日本製と間違うような表示では問題があります。

また，景表法については，実質的な変更をもたらす行為がどこで行われたかを判断する必要がありますが，通常は不正競争防止法での判断と同様になるものと思われます。

5　製品が食品の場合

不正競争防止法及び景表法の関係では，機械の場合と同様の事項について，調査・確認する必要があります。ただ，食品の場合は，単なる袋詰めなどを除いては一般に加工地も需要者の重要な関心事項ですから，加工地などの表示を併記することが望ましいでしょう。

さらに，食品の場合には食品表示法において，詳細な表示基準が定められています。加工地の表示や輸入業者の表示などが義務づけられている場合がありますので，関連法令を確認して適切な表示を行なう必要があります。詳しくは，消費者庁のホームページをご確認下さい。

また，農林水産物等につきましては，地理的表示法に基づいて登録されている特定農林水産物等についての地理的表示について，生産者団体の構成員以外が農林水産物等や包装等に当該地理的表示が表示された標章を付する行為は禁止されており，行政処分（措置命令）の対象となりますので（地理的表示法4条2項，同法5条2号），注意が必要です。

Q26　品質表示等

商品パッケージや宣伝広告において，品質表示等を行う場合に，注意すべき点を教えて下さい。

1　品質表示等の商品パッケージや宣伝広告に関する規制

品質表示等については，事業者間の公正な競争を確保する観点から不正競争防止法が，一般消費者の利益保護の観点から景表法（不当景品類及び不当表示防止法）が規定しています。また，広告表示については，通信販売などの特定の取引については特定商取引法，食品については食品表示法，繊維製品・電気機械器具などについては家庭用品品質表示法，貸金については貸金業法など，取引の形態や商品・役務の種類によって，様々な広告表示についての規制があります。

2　不正競争防止法

商品，その広告，取引などに用いる書類（注文書，見積書，納品書など）や通信に，その商品の品質・内容など，もしくは役務の質・内容などについて，誤認させるような表示（誤認表示）をすることは，不正競争行為にあたります（不正競争２条１項20号）。また，寄生的広告の場合には，周知著名表示の冒用行為となることがあります（同項１号，２号）。さらに，比較広告の場合，虚偽の情報に基づいて比較を行って，比較された者の営業上の信用を毀損すると，営業誹謗行為となることがあります（同項21号）。これらの不正競争行為に対しては，営業上の利益を侵害される者などは，差止めや損害賠償を請求することができます（不正競争３条，４条）。

3　景表法

景表法では，不当表示として①優良誤認（内容についての不当表示，５条１号），②有利誤認（取引条件についての不当表示，同条２号），③その他の不当表示（同条３号）が定められています。③その他の不当表示としては，商品の原産国に関する不当な表示の他，無果汁の清涼飲料水等，消費者信用の融資費用，おとり広告などが指定されています。これらの不当表示に対しては，消費者庁長官は，不当表示行為を取り止めることなどの措置命令を出すことができる他，適格消費者団体は差止めを請求することもできます。

また，①優良誤認行為及び②有利誤認行為に対しては，内閣総理大臣は，課徴金の納付命令を出すことになっています（景表法８条）。

4　問題となる事案

（１）寄生的広告

自己の商品が他人の周知著名な商品と同じ内容，種類であることを広告に表示することを寄生的広告といいます。他人の周知著名な商品に便乗していることから，問題とされることがあります。

自己の商品と他人の商品を明確に区別して，単に内容，種類が同じことを表示するだけでは，誤認表示とはなりません（東京地判昭和55・1・28香りのタイプ事件第一審無体集12巻１号１頁，東京高判昭和56・2・25同事件控訴審無体集13巻１号134頁)。これに対し，両者を区別せず表示し，需要者がいずれかの商品か判断を誤ったり，内容を誤ったりするような場合には，誤認表示となることがあります(京都地判平成2・4・25本みりんタイプ事件判時1375号127頁)。また，他人の表示の冒用（不正競争２条１項１号，２号）や商標権侵害となることもありますので，注意が必要です。

（２）比較広告

比較広告とは，一般に，他人の商品や役務と比較して自己の商品や役務の優秀性を強調する広告のことをいいます。需要者にとって商品の選択が容易となる利点がありますが，虚偽の事実が含まれていたり，一部の特徴が誇大に表示されたりすると，公正な競争が阻害されたり需要者が判断を誤ったりすることとなります。景表法の関係では，比較広告は前述の優良誤認が問題となりますが，①客観的実証の存在，②実証されている数値や事実を正確かつ適切に引用していること，③比較方法が公正であることを要するとされています。比較広告を行なう際には，これらの点について確認するとともに，裏付けを残しておく必要があります。なお，比較広告に関しては，知財高判平成18・10・18裁判所ＨＰ（キシリトール事件）（不正競争行為（誤認表示）を肯定）などの裁判例があります。

（３）おとり広告

おとり広告とは，実際には販売することができない商品や販売する意思のない商品，販売することができる量が極めて限定されている商品を広告に表示して，顧客を自店に誘引し，他の商品を販売することをいいます。

提供可能な量が極端に少ない場合などには，誤認表示となることがありますので，広告の表示内容と実際に提供可能な量のバランスなどについては注意が必要です。なお，おとり広告に関連しては，名古屋地判昭和57・10・15判タ490号155頁（ヤマハ特約店事件）や，措置命令がなされたものとしてスシロー事件（消表対第744号令和４年６月９日）があります。

（４）誇大広告

誇大広告とは，不正な誇張手段を用いた広告のことをいいます。取引上一般に許容されている範囲を超えて，過度に品質，効果や効能を強調し，需要者の選択を誤らせるような表示は，品質等誤認表示（不正競争２条１項20号）となります。具体的な数値などを表示する場合には，比較広告の場合と同様に，数値等の正確性の確認とその裏付けを残しておく必要があります。また，効果・効能を発揮する前提条件や個人差などの有無などについては，適切に表示を行なう必要があります。なお，品質誤認に関しては，大阪地判平成16・6・1裁判所ＨＰ（ロウソク事件（第１審)），大阪高判平成17・4・28知財管理56巻５号753頁（同事件（控訴審)）などの裁判例などがあります。

参考文献

伊従寛・矢部丈太郎編「広告表示規制法」（青林書院，2009年）

Q27 並行輸入に際しての注意点

アメリカで同国の商標権者から正規に購入した商品を日本国内に輸入し，日本国内で販売したいと思います。日本国内での商標権を持つ会社の許諾を得ていませんが，商標法上の問題はないでしょうか。

1 並行輸入とは

昨今，海外ブランドの洋食器や衣服・装飾品が，「並行輸入」商品として国内での当該ブランドの正規販売代理店での販売価格よりも割安で販売されている様子が見られます。並行輸入とは，海外で製造され適法に商標が付された商品（真正品）を，海外の商標権者から許諾を受けて日本で登録している国内の商標権者または専用使用権者の許諾を受けることなく輸入する行為を言います。

並行輸入の商品は，流通形態を異にして国内の商標権者の販売価格よりも割安な価格で販売する傾向にあることから，国内の商標権者としては自己の売上に影響を及ぼしうる並行輸入を止めさせたいとの意向があります。また，法律的にも，商標権の効果は登録した国内においてのみ効力を有し，国外ではその効力は及ばない（工業所有権の保護に関するパリ条約6条3項参照）という，商標権の属地性という原則があることから，かかる並行輸入は国内の商標権者の権利を侵害する（商標25条，37条）のではないかとの問題が生じます。

従って，本問のように並行輸入をしたいという相談を受けた場合には，本件が商標権侵害に該当しない並行輸入が許される場合に当たるか否かを検証すべきです。並行輸入の問題に関しては，過去の裁判例において許される場合の要件が示されておりますので，これらを参考にして検討する必要があります。

2 並行輸入が許される場合

（1）根拠

裁判例において並行輸入が商標権侵害とはならないと判断された根拠は，商標法の趣旨，すなわち，商標の出所識別機能，品質保証機能の保護という趣旨を侵害するものではないので，実質的な違法性はないということにあります（大阪地判昭和45・2・27パーカー事件無体集2巻1号71頁，判時625号75頁）。つまり，並行輸入商品と国内商標権者の商品とでは，その商標によって海外の商標権者が識別される点，また，その商品の品質も同一である点からすれば，上記商標権の趣旨を害することがないので商標権侵害にはあたらないということです。

（2）判例が示す並行輸入が許される場合の要件

上記の根拠から，最高裁は，「①当該商標が外国における商標権者又は当該商標権者から使用許諾を受けた者により適法に付されたものであり（真正商品であること），②当該外国における商標権者と我が国の商標権者とが同一人であるか又は法律的若しくは経済的に同一人と同視し得るような関係があることにより，当該商標が我が国の登録商標と同一の出所を表示するものであって（内外権利者の同一性），③我が国の商標権者が直接的に又は間接的に当該商品の品質管理を行い得る立場にあることから，当該商品と我が国の商標権者が登録商標を付した商品とが当該登録商標の保証する品質において実質的に差異がないと評価される場合（商品の品質の同一性）」の３要件を検討して，これらが認められた場合には商標権侵害の違法性がなく，商標権侵害とはならないと判断しています（最判平成15・2・27フレッドペリー事件民集57巻２号125頁，田中伸一郎「並行輸入と商標権侵害」L＆T32号157頁）。

上記の３要件については，その主な内容を覚えておいて，法律相談において，判断の指標として紹介してあげられると良いでしょう。

（３）ライセンス契約違反がある場合

また，例えば，我が国の商標権者と同一の関係が認められる外国商標権者とのライセンス契約に違反して，ライセンシーが商標を付して商品を流通に置いたような場合に，果たして，「適法に」商標を付したと言えるのか，品質が同一といえるのかといった問題があります。

この点については，外国商標権者との間のライセンス契約における製造地制限および下請制限条項に違反した事案において，最高裁は，「許諾範囲を逸脱して製造され本件標章が付され」たことから，商標の出所表示機能を害し，「製造国の制限及び下請制限に違反した・・商品は，商標権者による品質管理が及ばず，その品質において実質的な差異を生ずる可能性があり，商標の品質保証機能が害されるおそれがある」として，商標権を侵害すると判断した判例があります（上記最高裁判例）。また，販売地域制限条項に違反した事案において，商標権侵害でないと判断した裁判例もあります（東京地判平成15・6・30ボディーグローヴ事件判時1831号149頁）。どのようなライセンス条項違反であれば，商標権侵害が認められるのかということは，上記裁判例を参考に今後の判例の集積を待つことになります。

（４）検証の方法

並行輸入であることはそれを主張する側で立証する必要があります。ですから，クライアントから真正品の並行輸入に関して相談があった場合には，上記の要件を検討するために，輸出業者のインボイスを確認して更に流通業者を順にたどっていくと共に，インボイスや伝票などの資料を各段階の流通業者に協力してもらって確認する必要があります。また，製造業者が国内の商標権者と同一又は同一視し得る関係にある者からライセンス契約を結んでいるライセンシーであるような場合は，商標権の機能を害するようなライセンス契約違反が無かったかについても確認する必要があるでしょう。

３　結論

本問の場合，アメリカで同国の商標権者から正規に購入した商品ということですが，そのことにつき伝票等を取得して確認し，アメリカの商標権者と日本国内での商標権者の同一性又は経済的・法律的同一関係を確認できるようであれば，最高裁の示す要件の１～３を充たすので，日本国内の商標権者の許諾を得ていなくても，商標権侵害は成立せず，問題はないということになります。

第3 デザインに関する紛争

Q28 デザインを保護する制度
デザインを保護する制度として，どのようなものがありますか。

1 デザインとは

デザインといっても，工業デザイン，服飾デザイン，建築デザイン，ホームページのデザインなど様々な分野，対象があります。デザインは意匠とも言われますが，意匠法では，意匠を「物品（物品の部分を含む。）の形状，模様若しくは色彩若しくはこれらの結合（以下「形状等」という。），建築物（建築物の部分を含む。）の形状等又は画像（機器の操作の用に供されるもの又は機器がその機能を発揮した結果として表示されるものに限り，画像の部分を含む。）であって，視覚を通じて美感を起こさせるものをいう。」（意匠2条1項）と定義しています。

ここで「物品」は，一般的には市場で流通する有体物たる動産と解されていますので，現行の意匠法では，デザインの全てを対象にしていません。また，意匠法は産業の発達に寄与することを目的とする法律ですので（意匠1条），純粋な美術品を対象にしていないと考えられています（ぬいぐるみや広告ポスターは意匠登録できますが，彫刻や絵画自体は意匠登録できません）。すなわち，意匠法はデザインのうち，工業的（手工芸含む）に量産可能な物品のデザインを保護していることになります。

また，令和元年の意匠法改正により令和2年4月1日出願より，物品（上記のとおり動産です。）のみならず建築物（不動産）のデザインも意匠として保護されることとなりました。

それでは，意匠法以外の法律では，デザインはどのように保護されるのでしょうか。以下において，どのような法律によって，どのようなデザインが保護されているのかを概観していきます。

2 意匠法によるデザインの保護

前述のとおり，意匠法は，産業上の物品のデザインを保護するものということが分かりましたが，具体的には，どのような物品が意匠法によって保護されるのでしょうか。「特許情報プラットフォーム」のウェブサイトを開いて分類リストを見ると，保護されている物品がおおよそ把握できます。製造食品及び嗜好品，衣料品，生活用品，電気電子機械器具及び通信機械器具をはじめとして多種多様な商品が対象になっていることがわかります。

また，機器のGUIが重要な役割を担うようになったことから，PC・スマートフォン上の画像や壁に対する投影画像等の画像デザインについても，令和元年の意匠法改正により意匠権で保護できるようになりました。ただし，意匠権の保護の対象となるのは機器の操作の用に供されるもの（操作画像）及び機器がその機能を発揮した結果として表示されたもの（表示画像）に限定されますので，映画やゲーム等のコンテンツの画像等については保護の対象とはなりません。

意匠は，特許庁に出願して登録する必要がありますが，新規なデザインで容易に創作できないものでなければ登録されませんし，既に他人が登録しているデザインやこれに似たデザインであれば登録はもちろんのこと同じような物品に使うことができませんので，弁理士に依頼するなどして十分に調査する必要があります。

3　著作権法によるデザインの保護

意匠法で保護されないデザインのうち，美術品は，著作権法の保護の対象になります。著作権法は，デザインを創作した著作者の権利を保護する法律で，思想又は感情を創作的に表現した著作物を保護しますが，著作物として「絵画，版画，彫刻その他の美術の著作物」が例示されています（著作10条１項４号）。なお，建築物，地図，図表や模型なども著作物として保護されますが，意匠登録の対象にもなります。このように意匠法と著作権法で保護される対象物品は重なることもあります。また，ロゴ，書籍等の編集デザイン，絵文字，ホームページのデザインなども著作物として保護される対象になりますが，ある程度高度の創作性が要求されることになるでしょう。

著作権は，意匠権と異なり，著作者が創作と同時に取得する権利であり，登録手続は必要ありません。

4　不正競争防止法によるデザインの保護

（１）デザインに客観的に他の同種商品とは異なる顕著な特徴（特別顕著性）を有しており，かつ，商品や営業に継続的に使用することによって，一般に誰を表すデザインかが需要者に広く知られている場合は，他人がそのデザインを真似することをやめさせることができます（不正競争２条１項１号）。

不正競争防止法による保護も著作権法と同様に，登録手続を要しませんが，一般に広く認識されていることを証明することは，なかなか大変なことも多いようです。

（２）そのデザインを使用した商品形態が国内で販売後３年以内であれば，そのデザインを模倣した商品形態の販売をやめさせることができます（不正競争２条１項３号，19条１項５号イ）。

5　商標法によるデザインの保護

商標は，商品に付けたり，サービスを表すものとして一定の物に付けるマークですが，特許庁に登録されることによって保護されることになります。ロゴや絵文字などを一定の商品やサービスのために使用するのであれば，商標登録することによってそのデザインが保護されることになります。商標法は，立体商標を登録することもできますので，立体的なデザインも保護されることになります。

なお，平成26年の商標法改正により，いわゆる「新しい商標」として，動き商標，ホログラム商標，色彩のみからなる商標，音商標，位置商標が認められることになりましたので，ホログラムや色彩といったデザイン的要素についても，より広く商標として認められることになったということができます。

ただ，注意点として，商標は，意匠や著作物のような創作性は要求されませんが，商品やサービスを表す標識として使用する必要があり，商標登録しても，使用しないままであれば権利を失うこともあります。

6　民法によるデザインの保護

商品のデザインが上記各法で保護されない場合でも，不法行為（民709条）として損害賠償が認められる場合もあります。例えば，著作物性が認められなかった佐賀錦袋帯の図柄（京都地判平成１・6・15判時1327号123頁）や木目化粧紙の模様（東京高判平成３・12・17判時1418号120頁）を他人が不当に模倣する行為が不法行為にあたるとされています。

Q29　デザインを模倣された場合

顧問先のＡ社から，「競業他社のＢ社が，Ａ社が製造販売しているＸ商品とよく似たデザインのＹ商品を販売しているが，Ｙ商品の販売をやめさせることはできないか。」と相談されました。どのような点を質問し，どのような資料を用意して事務所に来てもらったらいいでしょうか。

１　意匠権による差止請求

まず，Ａ社のＸ商品自体のデザインについて，第三者が類似するデザインを類似する商品に施して販売することをやめさせるためには，意匠権に基づく差止請求権の行使が考えられます。そのためには，Ａ社がＸ商品の意匠登録をしているかどうかを質問することになります。Ａ社が意匠登録しているのであれば，意匠公報と意匠原簿の写しを用意してもらいます。意匠公報については，「特許情報プラットフォーム」のウェブページで入手することもできます。この場合，Ａ社の権利は意匠公報に記載されている意匠であって，Ｘ商品ではないので注意が必要です。ただし，登録意匠を理解するためにＸ商品も用意してもらいましょう。

次に，Ｂ社のＹ商品を用意してもらう必要があります。Ｙ商品のデザインを確認し，Ａ社の意匠権を侵害しているかどうか判断する必要があります。Ｙ商品が入手しにくい場合は，Ｙ商品のカタログやパンフレットなどデザインを確認できる資料を用意してもらう必要があります。また，この資料等によって，Ａ社の意匠登録出願とＹ商品の製造販売の先後を調査しましょう。

Ｂ社のＹ商品がＡ社の意匠権を侵害するかどうかは，Q30で述べるように類否判断を行なうことになります。類否判断のために意匠の要部（看者の注意を惹く意匠の新規で創作性のある部分）を探索する必要があり，Ａ社の意匠登録出願前の公知意匠や出願後の登録意匠を意匠公報や他社製品で調査する必要があります。この調査は，専門的な経験が必要ですので，Ａ社の協力を得たり（同業者の商品デザインの知識があるので），専門の弁理士に依頼して調査してもらうのがよいでしょう。

このような資料と調査によって，Ａ社の登録意匠とＹ商品の類否判断を検討して，差止請求の可否を判断することになります。

２　不正競争防止法による差止請求

（１）Ａ社のＸ製品が意匠登録されていない場合，Ｘ商品のデザインが客観的に他の同種商品とは異なる顕著な特徴を有しており（特別顕著性），かつ，そのデザインがＡ社によって長期間独占的に使用され，又は極めて強力な宣伝広告や爆発的な販売実績等により，需要者においてその形態を有する商品が特定の事業者の出所を表示するものとして周知になっている（周知性）のであれば，不正競争防止法２条１項１号によって，Ｂ社のＹ商品の販売をやめさせることができます（知財高判平成24・12・26ペアルーペ事件判時2178号99頁）。そこで，Ｘ商品のデザインが特別顕著性及び周知性を有していることを証明するために，A社に資料を用意してもらう必要があります。A社に用意してもらう資料の例として，他のX製品との同種商品のデザイン，X商品の販売年数，販売地域や販売数がわかる資料，X商品の宣伝広告資料，X商品を取り上げた新聞，雑誌や報道があればそれらの資料，インターネット上の記事やアクセス数の資料などが考えられます。それらの資料に加えて，流通業者や消費者を対象としたアンケート調査を行なうこともありますが，客観性が問題になって証拠価値が低くなることもありますので，調査方法には十分注意する必要があります。

次に，B社のY商品やカタログ等を用意してもらうことは，意匠権侵害の場合と同様です。X商品のデザインとY商品のデザインが同一か類似していることを判断する必要があるからで，取引の実情を反映した類否判断や混同のおそれを検討するため，これに加えて販売の実情や，Y商品についての問い合わせがA社にあったことを示す資料の提供等を受ける場合もあります。

（2） X商品のデザインとY商品のデザインが実質的に同一であり，Y商品の形態がX商品の形態を模倣したといえる場合，X商品の販売から3年以内であれば，不正競争防止法2条1項3号により差止請求が可能です。この場合については，Q31を参照してください。

3　その他

（1）著作権法による差止請求

A社のX商品のデザインが著作権法でいう「創作性」の要件を満たすようなものである場合には，美術著作物として著作権法の保護を受ける可能性もあります。

なお，X商品のような実用品がそもそも著作物として保護されるのか，という問題（いわゆる「応用美術」の問題）については，Q33を参照してください。

（2）商標法による差止請求

A社のX商品のデザインが商標登録されているかどうかについても質問しましょう。X商品に付された文字，図形，記号などのデザインが商標登録されているのであれば，商標権侵害の有無を検討する必要があります。容器や商品の形状が立体商標等として商標登録されている場合もあります。商標公報や商標原簿，Y商品やカタログ等の資料によって差止請求の可否を検討することは意匠権の場合とほぼ同様です。

Q30　意匠の類否判断

顧問先Ａ社はＸ商品の意匠について意匠登録していますが，競業他社Ｂ社のＹ商品がこれに似ています。登録意匠に類似しているか否かは，どのように判断したらいいのでしょうか。

また，具体的に検討するには，どのような調査をすればいいのでしょうか。

1　類似する意匠－問題の所在

Ａ社は，Ｘ商品の意匠を意匠登録していますので，「業として登録意匠及びこれに類似する意匠の実施をする権利を専有」（意匠23条）しています。したがって，Ａ社は，他人が登録意匠と同一または類似する意匠を実施することを差し止めることができます。

「登録意匠と同一」というのは，登録意匠に係る物品と物品が同一であり，かつ，デザインが同一の場合をいいます。一方，「登録意匠に類似する意匠」とは，①同一物品でデザインが類似する場合，②類似物品でデザインが同一である場合，③類似物品でデザインが類似する場合を言います。

「登録意匠と同一」という場合，物品もデザインも同一なので，無効理由等の問題は措くとすれば，判断に悩むことなく意匠権の行使ができるでしょう。一方，類似する意匠の場合は，物品及びデザインについて類似するかどうかの判断が必要になります。ところが，その判断方法については，後述のとおり「需要者の視覚を通じて起こさせる美感に基づいて行う」（意匠24条２項）という基準があるものの，具体的な個々の事例においては，判断が困難なことがあります。

なお，物品の同一とは，一般に用途と機能が同じものをいい，類似物品は，用途が同一であるが機能に相違があるものといわれていますが（大阪高決昭和56・9・28無体集13巻２号630頁），物品の類否は意匠の類否の判断を行う前提であることを理由に，用途及び機能の共通性が認められないかを総合的に判断するものが主流です（東京地判平成19・4・18増幅器付スピーカー事件判タ1273号280頁）。

2　意匠の類否判断の考え方

類否判断についての考え方の代表的なものに混同説と創作説があります。混同説は両意匠が取引の場で物品の混同が生じるほど似ているかどうかにより判断する考え方で，創作説は登録意匠の創作性のある部分を中心に類否を判断する考え方です。

一方，最近の裁判例は，概ね，物品の同一又は類似を前提として，意匠を見る者（看者）の注意を惹く部分を意匠の要部と認定し，両意匠が要部を共通にするか否か（取引の場で両意匠が混同されるほど似ているかどうか）を検討して，両意匠を全体的に観察して（要部以外の意匠の異同も検討して）全体として美感を共通するか否かにより類否を判断しているものが多数です。そして，意匠の要部を認定する際，公知意匠にはない新規の創作部分の有無も考慮要素に入れています。したがって，混同説と創作説の折衷的な考え方と評価することができるでしょう。

なお，平成18年の意匠法改正で類否判断は，需要者（消費者や取引業者）の観点からなされることが明確化されました（意匠24条２項）。

3　類否判断の方法と調査

以上に述べた裁判例の考え方にしたがい，以下において，本問における類否判断の方法と調査について述べます。なお，Ｘ商品とＹ商品は物品において同一又は類似であることを前提とします。

（１）両意匠の共通点・差違点の比較

まず，Ｘ商品の登録意匠とＹ商品の意匠の共通点と差異点を具体的に比較します。これは，登録意匠の意匠公報に表れたデザインとＹ商品のデザインを見比べて比較することになります。その際に大掴みにしたデザインの特徴（基本的構成態様）が同一か類似するか，さらに，詳細なデザインの各部の特徴（具体的構成態様）の異同を見ます。Ｙ商品が基本的構成態様において類似しないと考えられれば，意匠は類似しないことが多くなります。

（２）登録意匠の要部抽出

次に，Ｘ商品の登録意匠の要部を抽出します。これは，Ｘ商品の性質，用途，使用態様からみて取引者・需要者が注意を惹く意匠の部分を抽出することと，公知意匠や後願の登録意匠にはないＸ商品の意匠の創作部分を抽出することが必要になります。前者は，Ａ社の担当者からＸ商品の取引や用法についての詳細を聴取することによって検討することになります。一方，後者は，Ｘ商品のデザイナーからのデザイン開発経緯の事情聴取，Ｘ商品の意匠登録出願前の公知意匠を内外の意匠公報や同種商品の有無の調査を行なうことによって検討することになります。なお，Ｘ商品の機能上，そのデザインが必然的に定まり選択できない部分については要部と認定されないことになるでしょう。

（３）要部の構成の対比

第３に，Ｘ商品の登録意匠の要部の構成とＹ商品の意匠の該当部分の意匠の構成が共通するかどうかを判断します。要部で共通しない場合には，両意匠は類似しないと判断されることになるでしょう。

（４）全体的観察

Ｘ商品の登録意匠の要部の構成とＹ商品の意匠の該当部分の意匠の構成が共通し，要部でない部分の両意匠の差異点が共通点を凌駕するような美感をもたさなければ，両意匠は全体的に観察して類似することになります。

Q31　商品形態模倣

当社商品のデザインを競業他社にそっくりそのまま真似されましたが，特に意匠権等は取得していません。相手に販売をやめさせる何かいい方法はないでしょうか。
また，その前提として調査，確認すべき事項があればお教えください。

1　不正競争防止法2条1項3号による差止請求

不正競争防止法は，他人の商品形態を模倣した商品を販売する行為等を「不正競争」としています（不正競争2条1項3号）。そして，不正競争によって営業上の利益を侵害される者は，侵害者に侵害の停止又は予防を請求することができ（不正競争3条1項），侵害品の廃棄なども請求することができます（同条2項）。したがって，本問のように，自分の商品形態を模倣した商品を競業他社が販売している場合には，模倣品の販売をやめさせることができます。

なお，不正競争防止法2条1項3号は，令和5年改正法により「電気通信回線を通じて提供する行為」が不正競争行為に追加されました。この改正は，メタバース等の仮想空間における商品形態の模倣についても，不正競争行為に該当することを明確化するためになされたものです。

ただし，他人の商品形態を模倣した商品を販売する行為等が不正競争に該当するのは，当該「他人の商品」が日本国内において最初に販売された日から3年以内に限られます（不正競争19条1項5号イ）。また，競業他社から善意無重過失で商品を譲り受けた者にも請求はできず（同号ロ），競業他社の商品の形態が当該商品の機能を確保するための不可欠な形態であれば「不正競争」にはなりません（不正競争2条1項3号かっこ書）。

このように，3号「形態模倣」の構成により差止請求を行使することができない場合には，当該商品のデザイン（形態）そのものが，「商品等表示」（不正競争2条1項1号）に該当するか否かを検討する必要性もあります。すなわち，当該商品の形態そのものが，客観的に他の同種商品とは異なる顕著な特徴を有しており（特別顕著性），特定の出所を表示する機能を有するほど需要者に周知されているかどうか（周知性），ということです。なお，商品の容器や包装の模倣について，商品等表示性が認められている事例もありますので，この点も参考にする必要があります。

2　商品形態模倣の要件と調査

（1）商品の形態

商品形態模倣の規定で保護される対象の「商品の形態」は，需要者が通常の用法に従った使用に際して知覚によって認識することができる商品の外部及び内部の形状並びにその形状に結合した模様，色彩，光沢及び質感であり，認識可能なものをいいます（不正競争2条4項）。したがって，通常の用法に従って知覚することができない商品の内部構造などは該当しないことになります。

各商品の形態の調査は，当社商品と競業他社商品を用意してもらう必要があります。

（2）模倣

「模倣」とは，既に存在する他人の商品の形態に依拠して，これと実質的に同一の形態の商品を作り出すことを言います（不正競争2条5項）。模倣という行為には，客観的な面と主観的な面があるとされており，客観的には，先行商品と後行商品を横に並べて見比べた場合に，形態が全く同じか，実質的に同じといえるほどに似ていることが必要です。一方，主観的には，模倣者が他人の商品形態を知って，これに依拠して形態が同じか実質的に同じといえるほど似ている商品を作り出したことが必要です。

形態が「実質的に同じ」というのは，一般に他人の商品形態を真似する場合，全く同じ形態にしないで，どこかにわずかな変更を加えることが行われているようで，そのように形態の変更があっても全体として見れば酷似していると評価できる場合です。具体的な場合に，実質的同一といえるかどうかについては，その改変の着想の難易，改変の内容・程度，改変による形態的効果等を総合的に検討しつつ，当該商品の種類・用途などに応じて取引者や消費者の観点からも考えることとされています。

形態模倣の調査は，模倣の客観面について，各商品の形態の具体的な比較が必要です。また，模倣の主観面について，当社商品の販売開始時期と競業他社商品の販売開始時期を調査して，競業他社商品は当社商品が販売された後に企画されたと推定され，製造及び販売に至ったといえるかの調査が必要でしょう。

（3）保護期間

前述のとおり，商品形態の模倣が不正競争になるのは，先行商品の販売が開始された日から3年以内に限られます。したがって，販売後3年を経過すれば差止請求はできなくなりますので，当社商品の販売開始時期を調査する必要があり，訴訟に要する期間も考慮して権利行使すべきことになります。なお，この3年間に生じた損害の賠償請求は，消滅時効期間内であれば3年を経過した後も可能です。ただし，当該商品の形態が商品等表示と認められ，不正競争防止法2条1項1号の不正競争行為に該当する場合は，3年の期間制限は及びません。

（4）機能確保のための不可欠な形態

前述のとおり，競業他社の商品の形態が当該商品の機能を確保するための不可欠な形態であれば「不正競争」にはなりません。この制限があるのは，商品としての機能及び効用を果たすために不可避的に採用しなければならない形態を特定の者に独占させると，商品の形態ではなく同一の機能及び効用を奏する同種商品そのものの独占を認めることになり，複数の商品が市場で競争することを前提として競争のあり方を規制する不正競争防止法の趣旨に反することになるからです。

この要件については，当該商品の分野における技術規格等について依頼者から十分に事実聴取し，例えば，互換性確保のための規格に基づく形態ではないかについて調査する必要があります。

第４ 著作権に関する紛争

Q32 著作物

当社商品の広告・カタログ，広告・カタログに載っている文章，図，グラフ，イラスト，写真，見本帳を真似されましたが，これらは法律上保護されないのでしょうか。

1　著作権による保護

著作権法では，著作物，すなわち「思想又は感情を創作的に表現したものであって，文芸，学術，美術又は音楽の範囲に属するもの」（著作２条１項１号）を保護します。質問の事例では，商品カタログの説明文，図・グラフ・イラスト，写真などの個々の素材が，「思想または感情の創作的表現」であるかどうかが問題になります。

著作権法では，創作性のある表現が保護されており，アイデアはいくら独創的であっても保護されません。また，誰がやっても同じようになる表現（ありふれた表現）は，創作性がないとして著作権法では保護されません。

（１）広告・カタログ上の説明文や図・グラフ・イラストなど

広告・カタログ上の，説明文などは言語の著作物として，また，イラストなどは美術の著作物として保護される可能性があります。しかし，著作権で保護されるのは，あくまでこれらのうち創作的な表現の部分であり，一般的には，説明文は多くの情報が提供できるようにできるだけ短く，誰も誤解しないようなわかりやすい表現で行われるものですから，著作物として保護されるような創作的表現がない場合も多数あると思われます。パンフレットの中のキャッチフレーズ的な文言が独創的であっても，アイデアが独創的なだけであり表現が独創的なのではないことを理由として，著作権では保護されない場合があります。同様に，図・グラフ・イラストも誰もがわかりやすいように作成され，表現もありふれたものが多く，著作物として保護される場合はそう多くはないと思われます。

ただ，個々の記述だけを見れば著作物性がないものであっても，それらを相当量組み合わせている編集著作物の場合，全体として著作物性があると判断されることもあります。この場合，第三者が，全体をそっくりそのままコピーをしているような場合には，複製権の侵害として，著作権によって保護される可能性が高まります。

いずれにせよ，著作物かどうかの判断は微妙な場合が多く，過去の裁判例に照らして，個別にじっくりと判断することが必要となります。

（２）広告・カタログ上の写真

写真も著作物として保護されます（著作10条１項８号）。しかし，写真は被写体をありのままに写している場合も多く，誰がやっても同じような写真になる場合には，その写真には著作物性がありません。写真が著作物として保護されるのはあくまで写真という表現方法においての創作的になされた表現部分についてだけであって，被写体が保護されるわけではありません。カタログ写真については，一般的には，商品の特徴ができるだけ詳細にわかるように，商品をありのままに撮っているものですから，写真としての表現上の特徴（何を被写体としたか，被写体をとる角度など）は個性的なものとなりにくく，保護される範囲も狭いものとならざるを得ません。同じ物を同じ角度から撮っているというくらいの特徴は一般的には保護されるものではありませんので，カタログの写真は，露光やシャッタースピードなど表現上のすべての特徴を再生しているといえるデッドコピー程度しか保護できない場合が多いと思われます。しかし，商品の陳列方法や組み合わせ，構図や写真をとるタイミングに工夫を凝らして，写真としての表現上の創作性の高い程度のものであれば，カタログ写真でも保護される場合がでてきます。したがって，これらの判断は，過去の裁判例（大阪地判平成７・３・28三光商事事件知的裁集27巻１号210頁，東京地判平成11・12・15西瓜写真事件判時1699号145頁，同控訴審東京高判平成13・6・21判時1765号96頁など）に照らして，ケースバイケースで行うほかありません。

なお，他社のＨＰ上に掲載されている商品の写真をそのままコピーして自社のＨＰに掲載したという事例において，当該写真の著作物性を肯定した事例があります（知財高判平成18・3・29スメルゲット事件判タ1234号295頁）。この事件で知財高裁は，「創作性が微少な場合には，当該写真をそのままコピーして利用したような場合にほぼ限定して複製権侵害を肯定するにとどめるべきものである」と判示しており，創作性の程度と侵害の態様の相関関係による判断を示唆しております。また，ＨＰ上の掲載写真（広告写真）でも，「同種製品を色が虹を想起せしめるグラデーションとなるように整然と並べるなどの工夫が凝らされている・・・，マット等をほぼ真上から撮影したもので，生地の質感が看取できるよう撮影方法に工夫が凝らされている。」等として創作性を肯定した事例もあります（東京地判平成27・1・29イケア事件判時2249号86頁）。

他方で，コンタクトレンズ販売店のチラシについて，ありふれた表現であるとして創作性が否定され，デッドコピーに近いチラシの著作権侵害を否定した事例もあります（大阪高判令和１・7・25判時2467号116頁）。

（３）編集著作物としてのカタログや見本帳

カタログや見本帳に載っている個々の素材は，一般には，著作物性がなく，著作権では保護されません。しかし，カタログや見本帳に記載されている素材の選択又は配列に創作性がある場合にはカタログや見本帳が編集著作物として保護されることになります（著作12条１項）。カタログや見本帳が編集著作物として保護される場合には，創作性のある素材の選択または配列を他者が真似すれば，編集著作物であるカタログや見本帳の著作権を侵害することになります。著作物性を否定された見本帳についての裁判例として東京地判平成12・3・23判時1717号140頁（色画用紙見本帳事件）があります。

2　商標権，不正競争防止法や一般の不法行為による保護

設例のような場合には，商標や，不正競争防止法の模倣（不正競争２条１項３号），周知商品等表示（同１号），誤認表示（同20号）などで保護される場合も事案によってはありうるでしょう。

Q33　応用美術品

応用美術品は著作権では保護されないと聞いたことがありますが，どういうことでしょうか。

1　応用美術とは

美的創作物は，純粋美術とそれ以外に分類することができます。純粋美術とは，思想・感情が表現されていて，専ら美的鑑賞の対象とする目的で制作されたもので，かつ，それに触れる一般的・平均的な人もそういう目的で制作されたと受け取るようなものをさします。絵画，版画，彫刻などのことです（著作10条１項４号）。

純粋美術でないもののうち，応用美術は，思想・感情が表現されたものではあるが，実用に供される物品に純粋美術が応用されることを目的（実用目的）として制作されたもの，または，一般的・平均的な人が実用目的で制作されたと受け取るようなものをさします。実用品に美術や美術上の感覚，技法を応用したもので，具体的には，①装具品，壁掛け，壷，茶碗，お皿，刀剣のような実用品として製作される美術作品，②家具に施された彫刻等実用品と結合している美的な創作物，③染織図案等量産される実用品の模様や文鎮の型などひな型として利用するための美術的な創作物，です。

2　応用美術についての著作権法の保護

著作権法では，「美術の著作物」には「美術工芸品」も含まれるとされています（著作２条２項）。立法当時には，著作権法は純粋美術を保護し，応用美術については，「美術工芸品」，すなわち，壺，茶碗，お皿，刀剣などの観賞用の一品制作品で純粋美術の作品と同視できるようなもの，を限定的に保護する趣旨であるとされていました。しかし，量産品であっても美を表現することが重要である作品があり，このような作品について，量産品であることのみを理由として著作物性を否定すべきではない，製作者の意図が実用目的かどうかは外部からは分からないので，そういう事情によって著作物となるかどうかが決まるのはおかしい，として，「美術工芸品」をもう少し広く解釈して，量産品についても美的鑑賞が主目的であるようなものについて「美術工芸品」として著作権で保護する考え方もあります。さらには，２項の「美術工芸品」は美術の著作物を注意的に規定し，又は，応用美術の例示であると解釈して，広く応用美術について著作権の保護を認めようとする説もあります。このように，どの範囲まで，応用美術が著作権法の保護を受けるかについては，争いがあります。

3　応用美術に関する通説的見解

応用美術に関し，著作物性を認めるための判断基準としては，「純粋美術と同視」できるかどうかとの基準を採用することが多く，「純粋美術と同視」できるかの判断基準としては，①独立して美的鑑賞の対象となるだけの美術性があるか否かを基準とするものと，②実用的機能を離れて美的鑑賞の対象になり得るような美的特性を備えているか否かを基準とするものが存在しています。

このうち，①の考え方は，古い裁判例に広く見られた見解ですが，近時の裁判例では，②の考え方を採用するものが多くなっています。

例えば，知財高判平成26・8・28判時2238号91頁（ファッションショー事件）では，「実用目的の応用美術であっても，実用目的に必要な構成と分離して，美的鑑賞の対象となる美的特性を備えている部分を把握できるものについては，上記2条1項1号に含まれることが明らかな『思想又は感情を創作的に表現した（純粋）美術の著作物』と客観的に同一なものとみることができるのであるから，当該部分を上記2条1項1号の美術の著作物として保護すべきであると解すべきである。」と述べ，「実用的機能を離れて美的鑑賞の対象になり得るような美的特性」の有無を著作物性の判断基準を採用しています。

また，大阪地判平成27.9.24判時2348号62頁（ピクトグラム事件），東京地判平成28.1.14判時2307号111号（加湿器事件），東京地判平成28.4.21判時2340号104号（ゴルフシャフト事件），知財高判平成28.10.13裁判所ＨＰ（エジソンのお箸事件），知財高判令和3年12月8日裁判所ＨＰ（タコの滑り台事件）等の裁判例においても，②の判断基準が採用されています。

なお，これらの伝統的な見解では，上記の①又は②の基準により，応用美術が純粋美術と同視できるか否かを検討し，著作権法2条1項の「美術の範囲」に属するといえるのか否かを判断し，純粋美術と同視できないものは，「美術の範囲」に属さないとして著作物性が否定されることになりますが，「純粋美術と同視」できるかの判断基準は，一般の著作物の創作性の判断基準よりも厳しい基準であると考えられます。

そのため，この伝統的見解に基づいて考えた場合，応用美術の著作物性のハードルはそれなりに高いものとなりますので，量産品，実用品の著作物性に関して相談を受けた場合には，著作物性の有無に関し，慎重な検討と回答が必要になります。

4　新しい判断基準を示した裁判例とその後の動向

上記の通り，応用美術に関する伝統的な見解では，応用美術に関し，著作物性を認めるためには，純粋美術と同視できるものであることが必要であると解されてきましたが，これと一線を画する考え方を示した判決として，知財高判平成27・4・14判時2267号91頁（TRIPP TRAPP事件）があります。

この事件は，幼児用椅子の形態が模倣された商品が問題となった事例ですが，知財高裁は，「応用美術に一律に適用すべきものとして，高い創作性の有無の判断基準を設定することは相当とはいえず，個別具体的に，作成者の個性が発揮されているか否かを検討すべきである」として，従来の「純粋美術と同視できるかどうか」とは異なる判断基準を示しています。

このTRIPP TRAPP事件判決の考え方は，上記の伝統的な見解よりも，著作物性のハードルを下げる考え方であり，権利行使をする側からすると，有利な考え方であるといえますが，その後の裁判例において，これと同様の判断基準を採用した裁判例は存在せず，未だ伝統的見解（特に上記の②の見解）が主流であるといえるでしょう。

Q34　職務著作

会社の従業員が作成した著作物については，誰がどのような権利を取得するのでしょうか。下請け会社社員，派遣社員の場合はどうでしょうか。

また，プログラムの場合も同じでしょうか。

１　職務著作

著作権法では，「法人その他使用者（以下この条において「法人等」という。）の発意に基づきその法人等の業務に従事する者が職務上作成する著作物（プログラムの著作物を除く。）で，その法人等が自己の著作の名義の下に公表するものの著作者は，その作成の時における契約，勤務規則その他に別段の定めがない限り，その法人等とする」（著作15条１項）と定められています。①法人等の発意，②法人等の業務に従事した者が職務上作成すること，③法人等が自己の著作名義の下に公表するものであること，を要件に，別段の定めがない限り，職務著作の著作者を法人であると定めています。

また，プログラム著作物については，同条２項で，③の要件を欠いても職務著作であるとされています。

15条に該当する場合には，著作権が従業員から法人等へ譲渡されるのではなく，著作者が法人等であるとされますので，著作者人格権も法人等に帰属することに注意してください。一方，15条の要件を欠く場合には，契約等で譲渡していない限り，実際に創作した自然人が著作者となり，著作権を有することになります。

２　プログラム著作物以外の著作物

（１）法人等の発意

法人等の著作物作成の発意について，事前に明確になされている必要はありません。判例・学説とも，広範囲で発意を認める傾向ですが，最近の学説では，むしろこの要件を（２）の職務上の著作であることの要件に吸収して考える考え方までもが有力になってきています。反対する考え方もありますが，この要件を欠くだけでは職務著作でないとは言いがたい状況になっていることは意識しておくべきでしょう。

（２）法人等の業務に従事した者が職務上作成したこと

法人等の業務に従事した者として，典型的なのは従業員です。

法人等の業務に従事しているかどうかは，形式的に決めるのではなく，実質的に判断されます。法人等の指揮監督下において労務を提供するという実態にあるか，法人等がその者に支払う金額が労務提供の対価であると評価できるかどうかを，業務態様，指揮監督の有無，対価の額，支払方法等に関する具体的事情を総合的に考慮して判断することになります（最判平成15・4・11ＲＧＢアドベンチャー事件判時1822号133頁）。

設問にある，従業員以外の下請け会社社員，派遣社員などの場合はどうでしょうか。下請け会社社員の場合は，原則として，職務著作とならないと考えられていますが，実態が従業員と同様であれば，別の結論となる可能性があります。また，派遣社員は，形式上は，派遣先の会社と雇用契約はありませんが，実態は派遣先の会社の従業員と同様ですので，職務著作となると解する見解が多数といえます。

さらに，裁判例の中には，法人等の外部の者に対しても，指揮命令関係があり，会社に著作権全体を原始的に帰属させることを当然の前提にしているような関係にあることを理由に職務著作を認めた例があります（東京地判平成８・９・27判時1645号134頁，東京高判平成10・2・12判時1645号129頁）が，この裁判例に対しては，批判もあります。

（３）法人等が自己の著作名義の下に公表するものであること

この要件に該当しているかどうかは，創作の時点で判断され，実際の公表の時点で判断されるわけではありません。創作の時点で，将来，公表するとすれば誰の名義で公表されるかが問題とされます。したがって，会社で公表するために原稿を書いていたが，公表時点でその原稿が採用されず，後に個人名で公表したとしても，会社が著作者となります。逆に，個人名義で公表することを前提に原稿が書かれた場合には，後に会社名義で公表されても，職務著作とはなりません。会社名義で公表されたことから，第三者が職務著作に該当すると信じて，会社を権利者として契約するなどした場合には，結論的にはその第三者を保護する方策を考えるべきでしょうが，職務著作となるからである，という説明をすべきではありません。

さらに，公表を予定していないが，かりに公表すれば法人等の名義になる場合も，この要件を満たしているかが問題となります。たとえば，機械の設計図，内部の会議用メモなどは，公表が予定されていませんが，公表すれば法人等の名義になる性質のものです。このような文書については，職務著作と考えてよいとするのが判例・学説です。

3　プログラム著作物

プログラム著作物については，会社の名前で公表することが予定されていないことも多く，先述のとおり，著作権法15条2項では，職務著作の要件として，法人等が自己の著作名義の下に公表するものであることは定められていません。

なお，コンピュータープログラムについては，営業秘密の要件を満たしている場合には，不正競争防止法上の保護を受け，特許要件を満たしている場合には，特許法上の保護を受けます。営業秘密については，コンピュータープログラムを作成した従業者は会社との秘密保持規程によって，社外へのプログラムの持ち出しや開示，利用が禁止されている場合が多いと思われ，そのような情報を秘密にしておくという会社の利益は不正競争防止法上の営業秘密の要件を満たした場合，営業秘密として保護されます（不正競争２条１項７－10号）。特許を受ける権利については，職務発明として，会社が予め従業員規則や契約などにより原始取得または承継することができ，会社は代わりに相当の利益を付与する必要があります（特許35条）。特許権と著作権では，原則と例外が反対になっておりますが，職務発明規程等で原始取得または予約承継することが定められていることが大半である現状からすれば，職務発明も大半が会社が権利者となりますから，大きな問題はないと考えられます。

Q35　著作物の利用

自分で文章を作るときに，他人の本に記載されている文章を使いたいと思います。どのような点に気をつければよいでしょうか。また，この様な場合に，どこに連絡したらよいかお教え下さい。

また，プログラムの場合も同じでしょうか。

1　著作物の複製と翻案

まず，設例の「他人の本に記載されている文章」とは，著作物である他人の本の一部であると思われますが，あなたが利用しようとしている文章が元の文章の著作権の複製権あるいは翻案権を侵害しないかが問題になります。著作物の一部を複製する場合，創作性のある部分を複製していなければ，複製権の侵害にはなりません。たとえば，お手本となる文章の創作性のない部分のフレーズを使って自分の文章を書いたとしてもそれは元の文章の複製をしていることにはなりません（ただし，標語のような長さであってもそこに創作性がある場合もあります）。また，表現を変えて使った場合には，あなたの文章が，他人の文章の表現上の本質的特徴が直接感得できるような表現になっているかどうかで，翻案権の侵害になるかどうかが決まります（最判平成13・6・28江差追分事件民集55巻４号837頁）。表現上の本質的な特徴が直接感得できるか否かは個別事案毎の難しい判断になります。

文章ではなく，プログラムの場合にも，基本的には同じですが，プログラムにおいて，プログラム全体ではなく，一つ一つのモジュールを複製した場合に，そのモジュールに創作性・著作物性があるかどうかについては，大変難しい個別判断となります。

2　引用

著作権のある文章も，引用という形で利用すれば，複製権の侵害にはなりません。引用と認められるためには，①公正な慣行に合致するものであり，かつ，②報道，批評，研究その他の引用の目的上正当な範囲内，である必要があります（著作32条１項）。公正な慣行としては，引用して利用する側の著作物と引用されて利用される側の著作物とを明瞭に区別して，主従の関係が認識できるようにする必要があります（最判昭和55・3・28パロディ写真事件民集34巻３号244頁）。なお，当該最高裁判決に対しては条文にない要件を規定するものであるとして批判が少なくなく，最近の下級審裁判例は32条の文言に従って①公正な慣行に合致，②引用の目的上正当な範囲内の問題として処理している事案が多数であると思われます（東京地判平成26・5・30絵画鑑定書事件裁判所ＨＰ等）。

3　著作権者と著作者の許諾

引用にあたらない場合において，著作物を複製し，他人の本の文章を使いたい場合には，著作権者に複製などを許諾してもらう必要があります。また，著作権者の許諾を得て，その他人の本に記載されている文章を複製する場合にも，著作者人格権を侵害しないように注意をしなければなりません。著作者人格権とは，公表権（著作18条），氏名表示権（著作19条），同一性保持権（著作20条）をさします。まだ公表されていない著作物については公表するについては著作者の同意が必要です。また，他人の文章を改変して使う場合には，著作者の同意がなければ，著作者の同一性保持権を侵害してしまうことになります。また，著作者の氏名を明記するか，明記しないことについて著作者から了解をもらっていなければ，氏名表示権を侵害することとなってしまいます。

4　誰から許諾してもらうか

著作者が誰であるかを外部から知ることは容易ではありません。出版物の場合，我が国では奥付けの伝統がありますのでこれを利用するのが一般です。

著作権は登録することができます（著作75条以下）が，ほとんど利用されていません。登録の内，著作権の登録は，著作権移転等を第三者に対抗することができます（著作77条）。登録されている著作権は，著作権登録原簿に記載され，権利者は謄本・抄本をとることができます。文化庁では著作権登録状況検索システム（https://pf.bunka.go.jp/chosaku/eGenbo4/）を提供しており，著作者検索もできますが，これにより著作者を特定することはまずできません。また，登録手続について，プログラム著作物の場合は，プログラムの著作物に係る登録の特例に関する法律に特則が定められ，一般財団法人ソフトウェア情報センター（SOFTIC）が登録を行っています。しかし多くの著作物は登録されていません。

著作権者が誰かについては，公表・発行などにあたり，©マークで表示されていることがよくあります。「©2023大阪弁護士会」などのマークで，発行年度と著作権者を表示しています。また，著作権法では，著作物の原作品に，又は著作物の公衆への提供若しくは提示の際に，その氏名もしくは名称又はその雅号，筆名，略称その他実名に代えて用いられるものとして周知なものが著作権者名として通常の方法により表示されている者は，その著作物の著作者と推定されます（著作14条）。したがって，公表された本に誰が著作者として表示されているかを見て，その著作者から著作権が第三者に譲り渡されていないかを調査することによって著作権者を見つけることができます。

さらに，著作権等管理事業者が，著作権等管理事業法によって，それぞれの種類の著作権を信託管理していることがあります。文芸に関しては，現在，（公社）日本文藝家協会，（協）日本脚本家連盟，（協）日本シナリオ作家協会が文化庁長官によって登録されています。各種著作物にあわせた著作権等管理事業者に対し，ウェブサイトや当該事業者に直接問い合わせることによって，当該事業者が管理している著作者の名前がわかるようになっています。著作権等管理事業者が信託管理している場合には，その管理の範囲内で，著作権者による許諾を著作権等管理事業者が行ってくれます。また，約款に基づく許諾がなされるため，基本的には許諾を拒否されることはありません。音楽の著作物に関する一般社団法人日本音楽著作権協会（JASRAC）は，独自に信託を受けた著作物の著作者の検索システム（J-WID）を提供しており（https://www2.jasrac.or.jp/eJwid/），書籍・雑誌・新聞等に関する公益社団法人日本複製権センター

（JRRC）も管理著作物検索データベースを提供していますが（https://system.jrrc.or.jp/bibliography/search/），他の分野では実務的に利用が十分可能であるとは言いがたい状況です。

プログラムについての著作権者の表示，著作者の推定は文章の場合と同じです。また，プログラム著作物に関しての著作権等管理事業者の登録はありますが，その活動はまだ本格化していないようです。

なお，著作権者が不明な場合は，裁定制度（著作67条）により使用料相当額を供託して著作物を利用することができます。近時の法改正により徐々に利用件数が増加しておりますが，未だに手続が複雑なため活発に利用されているとは言いがたい状況です（2020年度は48件）。

第５ プログラムに関する紛争

Q36 プログラムと著作権

Ａ社から，自社で開発したソフトウェアについて，画面表示から真似をしているように見受けられる同種のソフトウェアをＢ社が販売しているので，何とかできないかとの相談を受けました。どのように対応すればよいでしょうか。そもそも，著作権法上保護される「プログラム」とはどのようなものでしょうか。

1 総論

ソフトウェアについて，著作権など権利侵害が問題となる部分としては，外から見える画面表示などの部分と，外から見えないプログラムなどの部分とがあります。

2 画面表示について

まず，ワープロソフトや表計算といったビジネスソフトにおいても，画面表示が著作権によって保護される場合があります（大阪地判平成12・3・30積算くん事件裁判所ＨＰ，東京地判平成14・9・５サイボウズ事件判タ1121号229頁）。

すなわち，「思想又は感情を創作的に表現したもの」であれば，著作物として著作権によって保護されますので（著作２条１項１号），ビジネスソフトの画面表示においても，創作性が認められる場合には，かかる画面表示は著作物となります。

ただ，複製権侵害，翻案権侵害などの著作権侵害といえるためには，Ａ社のソフトの画面表示のうち，創作性を有する部分が，Ｂ社のソフトの画面表示と類似している必要があります。すなわち，例えば，ワープロソフトなどで，ワープロソフトであれば通常そのような画面になるという部分が類似していたとしても著作権侵害とはならず，これまでのワープロソフトとは異なる創作性を有する部分が類似していて，初めて著作権侵害となります。

そのため，ビジネスソフトの画面表示においては，当該ソフトでは，通常そのような画面になるという部分が多いため，画面表示が類似しているということから著作権侵害を主張するのは一般に難しいと考えられます（大阪地判平成12・3・30，東京地判平成14・9・５においても，複製・翻案が否定されています）。

これに対して，ゲームソフトにおいては，そのソフト特有のキャラクターなどが表示されるため，その画面表示は保護されやすいといえます。そして，ゲームソフトにおいて流れる音楽も著作物として保護されることになりますし，また，ゲームソフトにおいては，単なる静止画ではなく，動画として画面に表示されることになるので，著作権法上は，「映画の著作物」として保護される場合が多いと考えられます（最判平成14・4・25中古ゲームソフト事件民集56巻４号808頁）。

3 プログラムについて

次に，プログラムについては，「プログラムの著作物」として著作権法によって保護されていますので（著作10条），Ａ社のソフトウェアのプログラムを，Ｂ社のソフトウェアが真似ていたとすれば，Ａ社のソフトウェアのプログラムの複製権あるいは翻案権侵害が問題となります。

この点に関して，知財高判平成23・2・28裁判所ＨＰ（恋愛の神様事件）は，一般論として，以下のように述べています。

「著作権法が保護の対象とする『著作物』であるというためには，『思想又は感情を創作的に表現したもの』であることが必要である（同法２条１項１号）。思想又は感情や，思想又は感情を表現する際の手法やアイデア自体は，保護の対象とならない。例えば，プログラムにおいて，コンピュータにどのような処理をさせ，どのような指令（又はその組合せ）の方法を採用するかなどの工夫それ自体は，アイデアであり，著作権法における保護の対象とはならない。」

「また，思想又は感情を『創作的に』表現したというためには，当該表現が，厳密な意味で独創性のあることを要しないが，作成者の何らかの個性が発揮されたものであることが必要である。この理は，プログラムについても異なることはなく，プログラムにおける『創作性』が認められるためには，プログラムの具体的記述に作成者の何らかの個性が発揮されていることを要すると解すべきである。もっとも，プログラムは，『電子計算機を機能させて一の結果を得ることができるようにこれに対する指令を組み合わせたものとして表現したもの』（同法２条１項10号の２）であり，コンピュータに対する指令の組合せという性質上，表現する記号や言語体系に制約があり，かつ，コンピュータを経済的，効率的に機能させようとすると，指令の組合せの選択が限定されるため，プログラムにおける具体的記述が相互に類似せざるを得ず，作成者の個性を発揮する選択の幅が制約される場合があり得る。プログラムの具体的表現がこのような記述からなる場合は，作成者の個性が発揮されていない，ありふれた表現として，創作性が否定される。また，著作物を作成するために用いるプログラム言語，規約，解法には，著作権法による保護は及ばず（同法10条３項），一般的でないプログラム言語を使用していることをもって，直ちに創作性を肯定することはできない。」

「さらに，後に作成されたプログラムが先に作成されたプログラムに係る複製権ないし翻案権侵害に当たるか否かを判断するに当たっては，プログラムに上記のような制約が存在することから，プログラムの具体的記述の中で，創作性が認められる部分を対比し，創作性のある表現における同一性があるか否か，あるいは，表現上の創作的な特徴部分を直接感得できるか否かの観点から判断すべきであり，単にプログラム全体の手順や構成が類似しているか否かという観点から判断すべきではない。」

このように，プログラム自体の複製権又は翻案権の侵害判断にあたっては，その具体的な記述内容から創作性が認められる部分を特定して，侵害が疑われるプログラムと対比して検討する必要があります。

なお，プログラムには，人間が理解できる形式のソースプログラム（ソースコード）と，コンピュータが理解できる形式のオブジェクトプログラム（オブジェクトコード）とがあります。プログラムを作成する場合，開発者がソースプログラムの形式で記述し，それを変換してオブジェクトプログラムを作成します。そのため，市販のソフトウェアでパソコンにインストールされるファイルは，通常オブジェクトプログラムだけであり，ソフトウェアの購入者は，ソースプログラムを入手していないことになります。

他方，前記のように，オブジェクトプログラムは，コンピュータには理解可能であっても，人間には理解不能です。そのため，Ｂ社のソフトがＡ社のソフトの完全なデッドコピーであれば，両者のオブジェクトプログラムを比較して，同一と判断できますが，そうでなければ，オブジェクトプログラムの比較だけでは，両者のプログラムがどの程度類似しているかは判断できません。

そこで，完全なデッドコピーでない場合は，Ｂ社のソフトウェアのソースプログラムを入手する必要があります。そして，かかるソースプログラムは，通常市販されていないため，相手方に任意の提出を求めたり，書類提出命令の申立（著作114条の３）を行ったりして，その提出を得ることになります。しかし，ソースプログラムには，開発者の営業秘密が含まれることが多いため，相手方が任意で提出することは少なく，また，書類提出命令が発令されるためには，少なくとも，著作権侵害を疑わせる事情，例えば，画面表示やソフトウェアの動作が酷似している，Ｂ社の開発者がＡ社のソースプログラムを持ち出し，これを流用していると疑わせる具体的事情などを主張立証していく必要があります。

また，相手方のソースプログラムの提出を得たとしても，デッドコピーでない場合，両プログラムが類似していることの立証は，技術者，専門家の助力を得た上で，多大な労力，コストをかけて行うことになります。この点，デッドコピーでない事案において，プログラムの翻案権侵害を認めた判例として，大阪地判平成12・12・26裁判所ＨＰ（ＩＣ測定用プログラム事件），大阪地判平成13・10・11裁判所ＨＰ（ＬＥＣＳ事件）があります。

4　その他の権利関係

プログラムについては，これに関して，Ａ社が特許権や意匠権を有しないか，また，Ａ社が営業秘密を有しないかについても検討する必要があるといえます。意匠権に関しては，令和元年の意匠法改正により，「画像意匠」（物品から離れた画像自体の意匠）が意匠の保護対象になったため，機器の操作の用に供される「操作画像」や機器がその機能を発揮した結果として表示される「表示画像」の意匠に関し，意匠登録が可能になりました。今後は，ソフトウェアのＧＵＩ（グラフィカルユーザインターフェース）やアイコンのデザインの保護に関しても，意匠権を活用する余地が広がったといえるでしょう。

参考文献

大阪弁護士会知的財産法実務研究会編「デジタルコンテンツ法」下巻〔辻村和彦〕52頁

Q37　プログラムの開発委託契約

プログラムの開発に当たり，開発を社外のソフトウェア開発会社（システムベンダー）に委託することになり，Ａ社（相談者）とソフトウェア開発会社との間で開発委託契約を結びます。このとき，どのようなことに気をつければよいですか。

1　総論

ソフトウェア開発委託契約において，最終的な成果物たるプログラムが完成・納入されるまでには，要件定義段階，設計段階，開発段階，検収段階のように，幾つもの段階を経て行われるものであることから，その内容を可能な限り契約書で定めておくことは重要です。特に気をつける必要があるのは，開発されたプログラムの著作権の帰属など，知的財産権の処理についてです。また，現在では，第三者へのソースコードの開示義務等を伴うオープンソースソフトウェアや第三者が権利を保有しているプログラムを利用して新たなプログラム開発がなされるなど権利関係が複雑化しているため，予め著作権の権利処理について定めておくことが，更に重要になっています。

すなわち，プログラムが開発された場合，プログラムの著作権は，開発を担当した開発者に帰属します（著作17条，２条１項２号）。開発者が法人等であり，その従業員が開発した場合には，職務著作（著作15条２項）によって，著作権は当該法人等に帰属します。なお，開発者（受託者）が委託者の社内で委託者の指揮監督を受けながら開発をした場合にも職務著作（著作15条２項）の規定が適用され，委託者が著作者になるか否かは，職務著作の解釈上争いがあります（Ｑ34参照）。

そして，著作者の地位が，ソフトウェア開発会社側にある場合，契約において何らの処理もしなければ，Ａ社は，プログラムの開発を委託しただけで，開発されたプログラムを利用することもできない立場となってしまいます。

そのため，プログラムの著作権については，ソフトウェア開発会社から著作権の譲渡を受けるか，あるいは，プログラムの著作権の利用許諾（著作63条１項）を受ける必要があります。

著作権の譲渡か利用許諾かは，契約の内容によって定まり，明確な規定を置いていない場合，Ａ社がプログラム開発を委託する目的，Ａ社とソフトウェア開発会社との力関係，契約代金の多寡などを考慮した合理的な意思解釈によって決まってきます。

2　著作権の譲渡について

まず，著作権の譲渡を受ければ，当該プログラムについては，原則として自由に利用することができますし，また，再譲渡することも自由となります。他方，ソフトウェア開発会社としては，開発したプログラムの著作権を譲渡すると，著作権者以外の者は，複製等する権利を有しないため，自己が開発したにもかかわらず，原則として，開発したプログラムを利用することができなくなりますし，また，類似したプログラムを開発することもできなくなります。このように，著作権の譲渡の場合は，譲受人にはメリットが大きく，譲渡人にはデメリットが大きいので，その対価も当然に高額となります。
なお，著作権の譲渡の場合，翻案権等は，譲渡の目的として特掲されていないと（契約書に明記しないと），譲渡されていないと推定されます（著作61条2項）。プログラムについては，当初開発されたプログラムを改変して利用する場合が多いので，そのような利用を予定している場合には，A社としては，例えば「本著作物の著作権（著作権法第27条及び第28条に規定する権利を含む。）は，対価の支払によりA社に移転する。」といった形で契約書に明記しておく必要があるといえます。
さらに，著作権として問題となりうる権利には，著作権のうち財産的権利としての著作（財産）権と，著作権のうち人格的権利としての著作者人格権とがあります。そして，著作権については譲渡可能ですが（著作61条1項），著作者人格権については譲渡が不能となっています（著作59条）。そして，著作者人格権の中には，同一性保持権（著作20条）という改変を禁止する権利があります。そのため，著作者人格権については，ソフトウェア開発会社に残ることを前提として，A社による自由な改変等を確保するために，ソフトウェア開発会社は著作者人格権を行使しない旨の条項を規定しておく必要があるといえます。

3　著作物の利用許諾について

次に，著作物の利用許諾の場合には，利用の条件は，契約で定めることになります。従って，プログラムの改変を予定している場合には，改変して利用できる旨規定しておく必要があるといえますし，また，第三者に利用させる予定の場合には，A社から第三者に再利用許諾できる旨規定しておく必要があるといえます。さらに，A社としては，ソフトウェア開発会社からA社以外の者に対してプログラムの利用許諾をされては困るという場合には，A社に対してだけ利用許諾する，すなわち，A社に対して独占的利用許諾を認める旨規定しておく必要があるといえます。

4　その他の知的財産権について

プログラムに関しては，著作権の他に，特許権も問題となります。そして，開発されたプログラムについて，特許を受けうる発明がなされた場合，その発明について，誰が出願をして特許権者となるかが問題となります。この点，特許権者となりうる地位である「特許を受ける権利」については，原則として発明者たるソフトウェア開発会社が取得することになります。そこで，A社が当該プログラムを利用したり譲渡したりするためには，①ソフトウェア開発会社から「特許を受ける権利」を取得してから自ら出願する，あるいは②ソフトウェア開発会社が出願をして特許権を取得した場合には，当該特許権の譲渡を受けるか，当該特許権につき専用実施権又は通常実施権を設定する旨の合意を行っておく必要があるでしょう。

5　プログラムの仕様について

プログラムの開発委託に関しては，納品されたプログラムが，委託者であるA社の要望する仕様を満たしているかが問題となる場合がよくあります。これは，開発の過程で，Ａ社の要望が五月雨式に口頭で伝えられたりするために，どこまでが開発の対象となる仕様であるか，また，どこからが追加料金の発生する別作業となるかなどが不明確なまま開発作業が行われることが多いためです。

そのため，当初の仕様を明確にするための手続を規定しておくことはもちろん，途中で要望が追加，修正される場合に，仕様の変更，追加代金の発生の有無を明確にするための手続を規定しておくのが望ましいといえます。

参考文献

大阪弁護士会知的財産法実務研究会編「知的財産契約の実務 理論と書式 先端技術・情報編」（商事法務，2022年）126頁（第３章 システム開発関連契約）

Q38　プログラム著作物の権利処理

A社は，開発したコンピュータ・ソフトウェアを市場で販売することになりました。このとき，購入者とどのような契約を結べばよいですか。

1　総論

ソフトウェアを販売するときに，購入者と締結する契約とは，市販のソフトウェアのパッケージに添付されている使用許諾契約書のようなものです。

そして，かかる契約で問題となるのは，購入者に販売する物，許諾する権利とは何か，権利を許諾するに当たって付する条件にはどのようなものがあるか，販売者が過度の責任を負わないための規定をどうするか，といった点などです。

2　販売する物，許諾する権利

ソフトウェアを市場で販売する場合，販売するものとしては，有体物と無体物とが考えられます。有体物とは，パッケージ，マニュアル，ソフトウェアが記憶されたＣＤ－ＲＯＭ等の記憶媒体などです。他方，無体物とは，記憶媒体に記憶されたプログラムであり，これに対する著作権などが問題となります。なお，ホームページから，ソフトウェアをダウンロードして購入するような形態の場合には，販売するものとしては，無体物だけになります。

このうち，ソフトウェアの価値のほとんどは無体物にあるため，有体物については，販売により所有権を譲渡しても問題はないといえます。なお，当然ですが，ソフトウェアが記憶された有体物の所有権を譲渡しても，無体物であるソフトウェアに関する著作権を譲渡したことにはなりません。

他方，無体物であるプログラムの著作権については，開発者と開発委託者との間の開発委託契約のような場合には，開発委託者に著作権を譲渡する場合があり得ますが，市場で多数の購入者にソフトウェアを販売する場合には，多数の購入者に一つの権利を譲渡することは不可能であるため，著作権の譲渡ではなく，著作物の利用許諾（使用許諾）を行うことになります。

そして，著作物の利用許諾を行う場合には，その利用許諾の条件，すなわち，許諾の範囲をＡ社において原則として自由に設定することが可能です（ただし，近時よく見られるようなアップルのApp StoreやグーグルのGoogle Playなど，一定のチャンネルを通じて販売されるいわゆるアプリの許諾の場合には，グーグルやアップル等の規約に従った条件設定が求められるため注意が必要です。）。また，Ａ社としては，著作権が留保されていれば，契約に反する利用について，契約に基づく債権的な請求ができるだけでなく，第三者に対しても著作権に基づく物権的な請求が可能となります。

3　許諾の条件

Ａ社が購入者に対する許諾の条件として，定められることが多いものは，まず，ソフトウェアをインストールできるパソコンの台数，あるいは，同時に使用できるパソコンの台数についてです。すなわち，特に技術的なプロテクトがなければ，物理的には購入したソフトウェアを，何台のパソコンにでもインストールして使用することができますが，それでは，例えば，購入者が，１本のソフトを購入するだけで，事務所中の何十台ものパソコンにソフトウェアをインストールして使用することを認めることになり，Ａ社としては全く対価を回収できなくなってしまいます。これを防ぐために，契約によって台数を定めてパソコンにインストールして使用できるだけというような条件を付する場合が多いといえます。このような許諾の条件を付することができるのは，パソコンにソフトウェアをインストールすることは著作権法上「複製」（著作21条）となり，著作権者の許諾なく行えない行為だからです。

同様に，利用許諾は最初に購入した購入者に対してだけ行い，第三者への再許諾，あるいは利用許諾された地位の譲渡を認めないという条件を付する場合も多いといえます。これは，ソフトウェアの再譲渡を認めないためのものです。

さらに，購入者に対して，ソフトウェアの改変を禁止する場合も多いといえます。

４　過度の責任を負わないための規定

ソフトウェアについては，欠陥がないようにチェックを行った上で出荷したとしても，後に，何らかのバグや，セキュリティホールなどの問題が発見される場合がよくあります。

そして，このような欠陥に基づく損害としては，会社の重要なデータが消失した，大きな取引先との取引に支障が生じたなど，拡大して考えれば事業者に対し大きな損害が生じたと考えられる事態が生じる可能性もあります。

そのため，ソフトウェアの欠陥に基づいて損害が生じたとしても，Ａ社が負うべき責任の範囲をある程度限定する条項を規定しておくのが望ましいと考えられます。

例えば，ソフトウェアの欠陥に基づく損害賠償額は，商品の価格を上限とするとの規定や，ソフトウェアの欠陥に基づく請求は，商品の購入日から一定期間に限り行うこができるとの規定，また，購入者がソフトウェアの改変を行った場合，Ａ社のソフトウェアの欠陥に関する責任は免責されるなどの規定などです。

また，裁判になった場合に備え，裁判管轄を規定しておく場合も多いといえます。

参考文献

大阪弁護士会知的財産法実務研究会編「知的財産契約の実務 理論と書式 先端技術・情報編」（商事法務，2022年）254頁（第４章 ソフトウェアライセンス契約）

第6 営業秘密に関する紛争

Q39 営業秘密とは

不正競争防止法上保護される「営業秘密」とは具体的にどのようなものですか。「限定提供データ」とはどこが違うのでしょうか。

1 はじめに

不正競争防止法（以下，単に「法」といいます）は，2条1項に1号から22号までの「不正競争」を列挙していますが，そのうち4～10号は営業秘密に関するものです。法は，営業秘密の不正取得や不正開示を「事業者間の公正な競争（法1条）」を害する行為として禁止し，これに対し差止，損害賠償を認めるとともに，一定の行為について刑事罰も定めています（営業秘密侵害に対する刑事罰は平成15年の法改正で導入され，その後の改正で適用範囲を拡大し厳罰化が進められています）。

このように，法2条1項4～10号が営業秘密を不正に取得したり不正に開示したりする行為を不正競争として抑止しようとするのは，企業が社内努力によって形成した技術上あるいは営業上の秘密は不正取得や不正開示から保護するだけの価値があり，また第三者が他社の価値ある営業秘密を不正に入手して事業に利用しようとする行為は，公正な競争を阻害する行為と認められるからです。

2 営業秘密に関する不正競争の類型

営業秘密を保護する法2条1項4～10号の内容は条文を一読しても理解しにくいのですが，これを整理すると不正競争行為は次の表のとおりです。

4～6号（不正取得型）は営業秘密を窃取，詐欺，強迫その他の不正手段により取得した第一取得者の行為（4号）と，不正取得者から営業秘密を転得した者の行為（5号は転得時に不正取得行為の介在を知っていた悪意者，6号は転得時は善意であったが事後に悪意となった者）について規定し，7～9号（不正開示型）は元々適法に営業秘密を知った第一取得者が図利加害目的で使用・開示する行為（7号）と，そこからの転得者の行為（8号は転得時悪意者，9号は転得時は善意であったが事後に悪意となった者）について規定しています。さらに，平成27年の法改正で追加された10号は，4号～9号に掲げる技術上の秘密の不正使用行為により生じた製品の譲渡・輸出入等の禁止について規定しています。

注1：上記5号，6号，8号，9号の「悪意」には「重大な過失により知らない」場合を含む。

注2：8，9号における悪意は，第一取得者の図利加害目的開示についての悪意のほか，秘密保持義務違反開示についての悪意を含む。

3 営業秘密とは

設問は法が不正取得や不正開示を禁ずる「営業秘密」とは何かを尋ねるものですが，

法２条６項は「この法律において『営業秘密』とは，秘密として管理されている生産方法，販売方法その他の事業活動に有用な技術上又は営業上の情報であって，公然と知られていないものをいう」と定義しています。すなわち，営業秘密として法で保護されるためには，次の三つの要件が必要です。

① 秘密管理性　三つのうちで最も重要で訴訟でも争われることの多い要件であり，改めてＱ40で述べます。

② 有用性　事業活動に有用でない情報は，法によって特別の保護を与えるに値しません。この意味で，事業に「有用」といえない重要度の低い情報が除外されるとともに，重要情報であっても経営者の個人的なスキャンダルのように「事業」に有用でないもの，また企業の脱税情報や公序良俗に反する営業の顧客名簿のように「正当な事業」の情報といえないものも，この要件を満たさないと考えられます（もっとも，有用性の要件を欠く情報であっても，これら情報を記載した書類を盗み出す行為が窃盗になったり，個人情報を開示することが名誉毀損になったりして，他の法律の適用を受けるのは別論です）。

③ 非公知性　公知の情報はそもそも秘密として法により保護する必要がないことは自明です。なお，保有者以外の一部の者が情報内容を知っていたとしても，その者が保有者に対して法律上，契約上もしくは信義則上の秘密保持義務を負っている場合は，公知とはなりません。

4　営業秘密の具体例

具体的な営業秘密如何は各企業の事業内容によって区々であり，要は上記の三要件を満たす限りあらゆる情報が対象となりますが，一般的に営業秘密とされることが多いものを例示すると，次のような情報があげられます。

①技術情報　製品の設計図，製造工程，製造方法，物質の組成，製造に関するマニュアルやノウハウ，試験データ，研究情報

②営業情報　顧客名簿，仕入先リスト，新製品情報，販売マニュアル，マーケット情報，仕入情報

③経営情報　経営計画，Ｍ＆Ａ計画，設備投資計画，研究開発計画

④人事管理情報

5　取引の安全への保護

取引の安全を保護する見地から，営業秘密に該当する情報であっても，取引によって当該営業秘密を取得した者が，その取得の際に不正取得行為もしくは不正開示行為が介在したことを知らず，かつ知らないことに重大な過失がない場合は，その取引の権原の範囲内でこれを使用・開示する行為は，法の適用除外とされています（法19条１項６号）。例えば，Ａ社がＢ社より特定の製品の製造ノウハウにつきライセンスを受けたところ，実はＢ社の開示したノウハウはＣ社の営業秘密をＢ社が不正取得（不正開示）したものであった場合，善意・無重過失のＡ社は当該ノウハウを使用して製品を製造すること

が許されることになります。

同様に，技術上の秘密の不正使用行為により生じた製品の譲受人が，その譲受時点で当該製品が不正使用行為により生じたことを知らず，かつ知らないことに重大な過失がない場合には，同人が当該製品の譲渡・輸出入等を行ったとしても，不正競争行為には該当しないものとされています（法２条１項10号括弧書）。

6　限定提供データとの違い

平成30年の法改正により，データの利活用を促進するための環境を整備するため，ＩＤ・パスワード等により管理しつつ相手方を限定して提供するデータである「限定提供データ」の不正取得等の行為が新たに不正競争行為の類型に加えられ（法２条１項11～16号），営業秘密の不正取得等の場合と同様に，差止や損害賠償の請求を行うことが可能になりました。「限定提供データ」とは，業として特定の者に提供する情報として電磁的方法により相当量蓄積され，及び管理されている技術上又は営業上の情報をいい（法２条７項），秘密管理性等の要件を満たさなくとも保護される点で，「営業秘密」とは区別されます。

Q40　秘密管理性要件

「営業秘密を社内でどのように管理すべきでしょうか」との相談を受けました。どのような点に気をつければよいですか。

1　秘密管理性の要件

「営業秘密」として不正競争防止法の保護を受けるためには,「秘密管理性」すなわち,当該情報を主観的に秘密として管理しようとする意思のみならず,客観的に秘密として管理されている事実が必要となります。この要件は,本来は自由であるべき情報の流通と利用を妨げることは謙抑的でなければならず（営業秘密侵害行為は刑罰の対象ともなり得る),企業が有する多種多様な情報のうち法によって保護すべき営業秘密を行為者に対して明確に限定するために必要な要件といえます。

2　裁判例の概観

秘密管理性の要件は,営業秘密の三要件のうちで最も重要な要件であり,訴訟でもこの要件を欠くとして営業秘密性を否定した例が少なからず存在します。

すなわち,従来,秘密管理性の要件に関しては,①情報にアクセスできる者が制限されていること（アクセス制限),②情報にアクセスした者に当該情報が営業秘密であることが認識できるようにされていること（認識可能性）の２つが判断要素になると説明され,特に②については外部者及び従業員にとって「客観的」に秘密と認識できる程度に管理が行われている必要があると秘密管理性の要件を厳格に解釈し,営業秘密該当性を否定する裁判例がありました（東京地判平成16・4・13イベント会社事件判時1862号168頁,東京地判平成20・7・30馬券予想顧客名簿事件裁判所ＨＰ等参照)。例えば,上記イベント会社事件では,一般論として,情報が営業秘密として管理されているか否かは,具体的事情に即して判断されるものであり,例えば,当該情報にアクセスした者に当該情報が営業秘密であることを認識できるようにしていること及び当該情報にアクセスできる者が制限されていることなどといった事情や,パソコン内の情報を開示した場合はこれを消去させ,又は印刷物であればこれを回収し,当該情報を第三者に漏洩することを厳格に禁止するなどの措置を執ることなどといった事情がある場合には,当該情報が客観的に秘密として管理されているということができると判示しています。この判例の事案では,情報リストのプリントアウト1部が「持ち出し厳禁」,「社外秘」の表示のある鍵付きの引き出しに収められていたものの,データを保存したパソコンにパスワードの設定がないこと,ファイルを保管した書棚に扉がなく従業員が自由に閲覧できること,情報をプリントして全従業員に配布しておりコピー配布部数を確認したりコピーを後日回収したりする措置も講じていないこと,第三者への情報漏洩を厳格に禁止する措置をとっていないこと,などにより秘密管理性を否定しました。

しかし,近時は,このように「客観的」な認識可能性という表現を用いず,当該情報を利用する者において秘密として認識できる程度の管理が行われておれば,より緩やかに秘密管理性の要件を認める裁判例も現れています。例えば，大阪地判平成20・6・12（イープランニング事件裁判所ＨＰ）では，情報の入ったパソコンのＩＤとパスワードを複数の従業員で共有していた上に，それらを紙に書いて貼ってあり，入力担当者に退職者が出ても変更されることがなかったという事案において，「ＩＤやパスワードの趣旨が有名無実化していたというような事情があればともかく，そのような事情が認められない限り，なお秘密管理性を認めるに妨げはない」として，秘密管理性を否定していません。また，知財高判平成24・7・4（投資用マンション事件裁判所ＨＰ）でも，顧客情報について，就業規則で秘密保持義務が規定され，退職時にも秘密保持に関する誓約書を提出させていること，各種情報セキュリティに関する認証を取得し，これに基づく従業員教育を行っていたこと等を根拠として秘密管理性を肯定しましたが，その写しが「上司等に配布されたり自宅に持ち帰られたり手帳等で管理されて成約後も破棄されなかったりしていたとしても，それは営業上の必要性に基づくものである上，１審原告らの営業関係部署に所属する従業員以外の者が上記関係書類や手帳等に接し得たことを窺わせる事情も見当たらず，１審原告らがその従業員に本件顧客情報を秘密であると容易に認識し得るようにしていたことは・・・認定のとおりである。」と判示しています。

3　営業秘密管理指針及び秘密情報の保護ハンドブック

営業秘密の管理方法に関しては，経済産業省が平成15年１月に「営業秘密管理指針」を定め，この中で一定の指針を示していましたが，上記のように裁判例の秘密管理性要件に関する判断基準が揺らぎを見せ，東芝や新日鐵住金における営業秘密の流出問題が世間を騒がせる中，経済産業省は，平成27年１月に営業秘密管理指針を全面的に改訂しました。

改訂された営業秘密管理指針では，従来の指針では，秘密管理性の要件は，①アクセス制限及び②認識可能性の２つの判断要素からなると説明してきた点を改め，アクセス制限は認識可能性を担保する一つの手段に過ぎず，情報にアクセスした者が秘密として認識できるのであれば，秘密管理措置が全く必要ないというものではないが，十分な秘密管理措置がないことを根拠に秘密管理性が否定されることはないと，近時の裁判例における判断基準に近い考え方を示しています。また，秘密管理措置としては，アクセス制限に限らず，秘密としての表示や秘密保持契約等の契約上の措置も含めて広く考えることが適当であると説明しています（同指針６頁注６）。

また，平成28年２月には，新たに「秘密情報の保護ハンドブック」が作成され，漏えい防止ないし漏えい時に推奨される包括的対策の詳細については，ハンドブックに別途整理されました。

この「営業秘密管理指針」及び「秘密情報の保護ハンドブック」は，経済産業省のウェブサイト（https://www.meti.go.jp/policy/economy/chizai/chiteki/trade-secret.html）に掲載されていますので，企業における営業秘密の管理方法を検討する際にご参照ください。

4　具体的な秘密管理方法

不正競争防止法によって法的保護を受けるために必要な秘密管理措置の内容・程度は，企業の規模，業態，従業員の職務，情報の性質その他の事情の如何によって異なるものであるため，個別の企業ごとに最適な管理方法を考えていく必要があります。

秘密管理措置としては，営業秘密情報とそれ以外の一般情報との合理的区分を行うことを前提として，営業秘密にあたる情報について，それが営業秘密であることを明らかにする措置が必要となります。

秘密管理措置の具体例としては，以下のようなものが挙げられます。

①管理体制

・営業秘密たる情報の種類・類型のリスト化その他の営業秘密に関する社内ルールを制定する（就業規則の秘密保持条項，秘密管理規程）
・営業秘密は他の一般情報と同列に扱わず，秘密として意識的に区分して，より厳重に管理する
・新入社員教育及びＯＪＴの場で秘密保持を十分指導する
・社員より秘密保持の誓約書を提出させる
・秘密に接する外部者（取引先・外注先）とは，秘密保持条項を入れた取引契約又は秘密保持契約（ＮＤＡ）を結ぶ

②表示

・営業秘密が記載された媒体に営業秘密の表示をする（例「マル秘」，「部外秘」）

③保管場所

・顧客や一般従業員から見えない場所に保管する
・金庫や施錠できるロッカーに入れる
・保管場所への入場を制限する
・禁帯出とする

④アクセス制限

・アクセスできる人間を限定する（特定の社員に限る）
・コンピュータ内の情報はパスワードを設定する

⑤使用上の注意

・目的外の使用や開示を禁ずる
・データのコピーや紙媒体への出力を制限する
・紙情報のコピーを制限する（コピー権限やコピー枚数の制限）
・従業員が秘密情報を持ち帰って仕事をすることを禁ずる

⑥使用後の注意

・用済みの情報は回収，廃棄する

Q41　退社した社員による営業秘密の不正使用

相談者Ａ社の元社員Ｂが，Ａ社在職中に製品の設計図，顧客名簿，パンフレットのデータを会社のパソコンからコピーして勝手に持ち出し，Ａ社退職後Ｃ社を設立し，Ａ社製品によく似た製品の製造・販売を行っています。ＢおよびＣ社に対して何らかの対処はできないでしょうか。

本問では，次の二つの行為について法的評価が問題となります。

①Ａ社在職中のＢが，製品の設計図，顧客名簿，パンフレットのデータを会社のパソコンからコピーして勝手に持ち出す行為（Ｂの持ち出し行為）

②Ｂの設立したＣ社がＡ社製品によく似た製品の製造・販売を行う行為（Ｃ社の類似製品製造・販売行為）

以下，順次検討します。

1　刑法犯となるか？

Ｂの持ち出し行為は，Ａ社所有の有体物の書類やデータ媒体を持ち出せば刑法上の窃盗罪あるいは横領罪を構成する余地がありますが，設問のようにパソコンからデータをコピーして持ち出す行為は，刑法上の財産犯罪には該当しません。しかし，Ｂの持ち出したデータがＡ社の「営業秘密」に該当する場合は，後述の営業秘密侵害罪に問える可能性があります。

2　不正競争防止法の営業秘密か？

不正競争防止法（以下，単に「法」といいます）の適用はあるでしょうか。

まず，Ｂが持ち出したデータ（製品の設計図，顧客名簿，パンフレット）が法にいう営業秘密に該当するか問題となります。この点，一般的には製品の設計図や顧客名簿は営業秘密に該当する可能性が高いでしょうが，パンフレットのデータはパンフレットに記載して外部に公開しているとすれば非公知性の要件を欠き営業秘密性が否定されます。

いずれにしても，具体的なデータが営業秘密に該当するか否かは，これらが法の定める三要件を充足するかどうかによって決まることとなります（Q39・Q40参照，なお，著作権による保護の可能性についてはQ32を参照)。

3　データが営業秘密にあたる場合にＢの持ち出し行為は不正競争にあたるか？

（１）設例の事案では，Ｂが，Ａ社在職中に製品の設計図等のデータを会社のパソコンからコピーして勝手に持ち出したとのことであり，会社の規則上，データの社外への持ち出しが禁止されていることが前提になっていますので，このような事案においては，Ｂの持ち出し行為は，法２条１項４号にいう「不正取得行為」に該当するといえるでしょう。

（２）他方，データをコピーして自宅に持ち帰って仕事をすることをＡ社が認めていたような場合は，Ｂの持ち出し行為は適法なものとなります。そして，Ｂが後にＣ社を設立し，Ａ社の営業秘密を知っていることを奇貨として，不正な競業行為を行う目的で当該営業秘密を使用・開示する行為が，法２条１項７号の不正競争を構成することになります（Ｑ39参照）。

4　Ｃ社の類似製品製造・販売行為は不正競争になるか？

３（１）の不正取得のケースにおいては，Ｂが不正取得者であることについて，Ｂの設立したＣ社（ＢがＣ社のオーナーかつ代表取締役であろう）は悪意ですから，不正取得者であるＢから当該営業秘密の開示を受け当該営業秘密を使用して類似製品の製造・販売を行うＣ社の行為は，法２条１項５号に違反するものといえるでしょう。

他方３（２）の不正開示のケースでは，Ｂの不正開示について悪意であるＣ社の行為は，法２条１項８号の不正競争を構成することになります。

そして，当該営業秘密のうち製品の設計図は技術上の情報であるため，上記いずれの場合も，こうした技術上の秘密の不正使用行為によって生じた類似製品のＣ社による製造・販売行為は，法２条１項10号の不正競争を構成することになります。

5　Ａ社の対抗措置

Ａ社は，ＢやＣ社の不正競争が肯定されるときは，次のような対抗措置をとることになります。

（１）差止請求（法３条）

狭義の差止請求としてＣ社が営業秘密を使用して類似製品の製造・販売を行うことの停止を求めるほか，このような不正競争によりＡ社の営業上の利益に対する侵害行為を組成した物や侵害行為によって生じた物の廃棄請求も可能です。本問の例では，ＢやＣ社が保有するＡ社の営業秘密の廃棄やＣ社が営業秘密を使用して製造した類似製品の廃棄を求めます。

また，本問でＢが持ち出した顧客名簿については，「当該顧客名簿に基づく営業活動をしてはならない」との差止も認められます（大阪地判平成８・４・16男性用かつら事件判タ920号232頁）。

（２）損害賠償（法４条）

Ａ社はＢ及びＣ社に対し損害賠償請求が可能です。なお，損害の立証を容易にするため，法５条に損害額の算定に関する規定がおかれています。また，技術上の秘密について被告の違法な取得行為等が認められる場合，被告が当該技術上の秘密を使用する行為により生ずる物の生産等をしたときは，被告は，当該技術上の秘密を使用して生産等をしたものと推定されるとされており，原告側の立証負担の軽減が図られています（法５条の２）。

（３）信用回復措置（法14条）

不正競争行為によりＡ社の営業上の信用が害された場合は，信用回復措置を求めることができます。例えば，Ｃ社が製造販売した類似製品が粗悪品で，市場でＡ社の製品も評判が低下してしまった場合，信用回復措置としての謝罪広告を求めることになります。

（４）刑事告訴（法21条，22条）

法21条１項１～９号は，営業秘密侵害行為のうち悪質なものを営業秘密侵害罪として刑罰の対象としています（法22条は両罰規定）。Ｂの行為は21条１項１～５号に，またＣ社の行為は22条，21条１項７号・９号に該当する可能性があります。営業秘密侵害罪は，平成23年改正により刑事手続における秘匿決定手続等の整備により裁判過程で営業秘密が漏洩するリスクが低下したことを受けて，平成27年の改正により，原則として非親告罪とされており（法21条５項），また一部未遂行為の処罰も可能となっています（法21条４項）。

第7　キャラクター等の商品化権に関する紛争

Q42　キャラクターの商品化

顧問先のA社が,「B社のキャラクターを使わせてもらい, 自社でキャラクター商品を製造・販売するのですが, 注意すべき点はないでしょうか」と相談に来ました。どのような点を確認して, どのように回答すべきでしょうか。

1　キャラクターとは

キャラクター（character）という用語は, ①漫画・アニメーションに登場する人物や動物をさしたり, ②小説に登場する架空の人物をさして用いられる場合のほか, ③俳優やスポーツ選手等実在の有名人をさす場合もあります。

これら顧客吸引力を有するキャラクターの名称, 容貌, 姿態, 図柄等を商品やサービスに使用し, あるいは宣伝広告に使用して, 商品のイメージを向上させ販売促進につなげようとする商品化ビジネスが広く行われています。

本問では, 主として①の意味でのキャラクターの商品化について述べることとします（②のキャラクターが商品化されるケースは少なく, ③のキャラクターの商品化は一般にパブリシティ権と呼ばれQ43で取り扱います）。

2　キャラクターの法的権利性

キャラクターの種類によりますが, 例えばキャラクターの絵は（創作性が認められれば）「美術の著作物」として著作権の対象となります。キャラクターの名称や図柄が, 不正競争防止法（2条1項1号, 2号）の商品等表示の対象となったり, 特許庁に商標出願されて商標権の対象となったりすることもあるでしょう。

他人がキャラクターを無断で使用しているケースでは, 当該キャラクターについて著作権その他いかなる権利が成立するか, またキャラクターの使用がその権利の侵害となるかが争われます。

他方, 設問のようにキャラクターの商品化契約をなす場面では, ライセンシーがキャラクターに経済的価値を認めて有償で商品化の許諾を受けることは, 契約自由の原則の範疇であり, キャラクターの法的権利性は決定的に重要な問題ではありません（もっとも, 何らの権利が存在しない場合は対価を払って契約する必要がないことになり, また権利の種類により契約上留意すべき事項が異なるという問題はあります）。

3　キャラクターに関する判例

キャラクターに関する代表的な判例として, 最判平成9・7・17民集51巻6号2714頁（ポパイネクタイ事件）があります。これは, 漫画の主人公ポパイの図柄をネクタイに付して販売していた行為につき著作権（複製権）侵害として差止を請求した事件で, 最高裁は次のような判示をしています。

「キャラクターといわれるものは, 漫画の具体的表現から昇華した登場人物の人格ともいうべき抽象的概念であって，具体的表現そのものではなく，それ自体が思想又は感情を創作的に表現したものということができない」

「一定の名称，容貌，役割等の特徴を有する登場人物が反復して描かれている一話完結形式の連載漫画においては，当該登場人物が描かれた各回の漫画それぞれが著作物に当たる」

つまり，判旨が述べた抽象的概念としてのキャラクターは著作権法２条１項１号で定義する著作物とはいえないが，キャラクターの具体的な表現（本件では各回の漫画の絵）は（創作性が認められれば）著作物となるとしたものです。

4　商品化契約に際しての留意点

本件の設問は「キャラクターを使わせてもらう」Ａ社（ライセンシー）からの質問ですが，次のような点に留意すべきです。

①　当事者　　著作権は産業財産権と違って公示されていませんから（著作17条２項，無方式主義），商品化の許諾を受けようとするＡ社にとって重要なことは，ライセンサー（版権の窓口たるＢ社）が当該キャラクターにつき許諾権限を有するか，確認しておくことです。

例えば，著作者は誰か，共有ではないか（共有著作権は他の共有者全員の合意がなければ許諾できない），Ｂ社は著作権を譲り受けたのか，翻案権や二次的著作物の原著作者の権利も譲り受けているか（著作61条２項参照），著作者に専属する（著作59条）著作者人格権の不行使特約はなされているか，といった事項がそれです。またＢ社がキャラクターの著作権者からライセンスを受けているのなら，Ａ社の商品化はサブライセンス権限の範囲内かを確認する必要もあります。これらにつき不安があるときは，契約につき著作者本人の承諾をとっておくのが無難でしょう。

また，商品化に際してはキャラクターの図柄に名称を併用することも多く，商標権の有無・所在や不正競争防止法２条１項１号・２号の保護対象とならないか等を確認することも必要です。

②　許諾の対象　　キャラクターの容貌，姿態，図柄，名称，役柄等がどこまで許諾の対象となるのか，特定します。

③　許諾商品　　当該キャラクターのファン層次第で許諾商品はあらゆるものが考えられますが，具体的にどの範囲の商品・サービスに，またどのような宣伝広告に使用できるのかを特定します。

④　許諾の期間・地域　　許諾の期間・地域（輸出の可否を含む）を明確にする必要があります。

⑤　独占的許諾の有無　　Ａ社としては，指定商品については他社に許諾されないよう独占的許諾を望むのが通常でしょう。

⑥　使用料　　一般にキャラクターのロイヤルティは小売価格の2.5～５％などといわれますが，キャラクターの人気次第でかなりの幅があるでしょう。⑤で独占契約とした場合は，最低保証料を求められることもあります。

参考文献

大阪弁護士会知的財産法実務研究会編「知的財産契約の実務 理論と書式 意匠・商標・著作編」（商事法務，2022年）442頁（第５章 キャラクターに関する商品化権許諾契約）

Q43　パブリシティの商品化

著名俳優Ｘの所属事務所Ｙ社から，「Ａ社がＸの芸名，肖像等を用いた商品を製造・販売したいと申し入れてきたので検討しているのだが，どうしたらよいでしょうか」と相談に来ました。どのような点を確認して，どのように回答すべきでしょうか。

1　パブリシティ権

パブリシティ権は，20世紀半ばからアメリカの判例によって認められるようになった権利（The Right of Publicity）です。我が国でも最判平成24・2・2民集66巻2号89頁（ピンク・レディ無断写真掲載事件）において，肖像等は商品の販売等を促進する顧客吸引力を有する場合があり，このような顧客吸引力を排他的に利用する権利（パブリシティ権）は，肖像等それ自体の商業的価値に基づくものであるから，人格権に由来する権利の一内容を構成すると判示されています。ただ，肖像等に顧客吸引力を有する者は，社会の耳目を集めるなどして，その肖像等を時事報道，論説，創作物等に使用されることもあるため，その使用を正当な表現行為等として受忍すべき場合もあるとして，肖像等を無断で使用する行為は，①肖像等それ自体を独立して鑑賞の対象となる商品等として使用し，②商品等の差別化を図る目的で肖像等を商品等に付し，③肖像等を商品等の広告として使用するなど，専ら肖像等の有する顧客吸引力の利用を目的とするといえる場合に，パブリシティ権を侵害するものとして，不法行為法上違法となるとしています。なお，上記事件では，写真掲載の態様なども考慮し，結論としては違法ではないと判断されました。

2　パブリシティ権の法的根拠及びその帰結

上記最判の事件では，パブリシティ権の根拠を人格権に由来する権利としたため，①差止請求や慰謝料請求も認められる，②損害賠償請求権として具体的な金銭請求にならない限り，権利の譲渡や相続は認められない，③物のパブリシティは認められないと考えるのが一般的です。

なお，物のパブリシティに関しては，最判平成16・2・13民集58巻2号311頁（ギャロップレーサー事件）において，「競走馬の名称等が顧客吸引力を有するとしても，物の無体物としての面の利用の一態様である競走馬の名称等の使用につき，法令等の根拠もなく競走馬の所有者に対し排他的な使用権等を認めることは相当でない」として，物のパブリシティは認めないという立場が明確にされています。

3　商品化契約に際しての留意点

本件の設問は，著名俳優Ｘの芸名，肖像等を使用させる立場にある所属事務所Ｙ社（ライセンサー）からの質問ですが，次の①～⑥のような点に留意すべきです。

①　当事者　　許諾に際しては，まずは俳優Ｘと所属事務所Ｙ社のどちらがライセンサーとして契約当事者となるかが問題となります。

人格権としての氏名・肖像権がＸ本人にあることは自明ですが，パブリシティ権の場合は別論です。芸能プロダクション（所属事務所）はタレントのマネジメントを専属的に行っているのが通常であり，専属契約により氏名（芸名）や肖像の商業的利用権をＹ社に帰属させている場合もあるでしょう。上記２②の「パブリシティ権の譲渡・相続の可否」に関連しますが，パブリシティ権が人の氏名・肖像を扱う点で人格権と関連する面があるとしても，タレント等の氏名・肖像が持つ財産的価値に着目した権利である以上，この権利を所属プロダクションに行使させる旨をタレント自身が合意することは，有効と解するべきでしょう。東京地判平成18・8・1判時1957号116頁は，プロ野球選手が所属球団に氏名及び肖像の商業的利用権（パブリシティ権）を独占的に使用許諾する内容の統一契約書の条項につき，公序良俗に反するものでなく，また独禁法で禁じられた優越的地位の濫用や拘束条件付取引に該当するものでもなく，契約として有効であると判示しており，同事件の控訴審判決である知財高判平20・2・25裁判所ＨＰでもその判断は維持されています。

結局，Ａ社の申し入れに応じてＸの芸名，肖像等を使用させるに際しては，Ａ社との契約の前に，ＸとＹ社の間でパブリシティ権の扱いを契約により明確にしておく必要があります（Ｙ社としては，自社が権利者であること，または自社が独占的使用許諾権限を有することを明記すべきことになります）。

なおＹ社にパブリシティ権が帰属する場合でも，この権利の性質に鑑み，Ａ社にＸの芸名，肖像等の使用を許諾するについては，Ｘ本人の了承を得ておくのが相当です。

②　許諾の対象　　Ｘの氏名，肖像（写真），似顔絵，マーク，声などが考えられますが，契約でどこまで使用させるかを特定します。

その他，③指定商品　④許諾の期間・地域　⑤独占的許諾の有無　⑥使用料といった契約事項については，キャラクターの商品化の場合と同様であり，Q42の回答を参照してください。

第８ インターネットに関する紛争

Q44 ホームページを運用する際の注意点

ホームページを開設しようとしています。自分のページに，写真や絵，動画，ＢＧＭを使うときの注意点について教えて下さい。また，有名な写真や絵，歌を加工することは問題がないでしょうか。

１ 著作権について

創作的な写真や絵，動画，ＢＧＭは，著作物ですので，第三者が作成した写真や絵，動画，ＢＧＭを利用する場合には，これらの著作権侵害が問題となります。

すなわち，ホームページを開設する場合には，ホームページに，これら写真や絵，動画，ＢＧＭを掲載することになりますが，かかる行為は，著作権法上，公衆送信（著作２条１項７号の２，23条１項）（正確には，公衆送信に含まれる送信可能化（著作２条１項９号の５））という行為になり，これを著作権者に無断で行うと公衆送信権侵害となります。

そのため，著作権侵害とならないためには，写真や絵，動画，ＢＧＭの著作権者に対して，ホームページでの利用について許諾を得る必要があります。

ここで，絵の著作権者は原則として絵を描いた者であり，ＢＧＭについても同様にＢＧＭの作曲者になります。原則としてというのは，著作権が譲渡されている場合は，譲受人が著作権者になるためです。また，写真については，写真として写っている人間ではなく，原則として写真の撮影者が著作権者となります。さらに，動画については，映像，音，ストーリーなど，いくつかの要素から構成されているので，それぞれについて著作権者が異なる場合があります（著作16条，29条参照）。

なお，他のホームページにて使用されている写真や絵，動画，ＢＧＭであるからといって，必ずしも著作権者がその自由な利用を認めており，第三者が勝手に使用してもよいという訳ではありません。

この点，第三者の著作物を利用する場合，第三者の承諾を得るのが原則ですが，その他，著作物を自由に利用できる場合に当たらないか，すなわち，当該著作物が著作権の存続期間を満了していないか（著作51条以下），出所明示（著作48条）した上で引用（著作32条）できるか，写真や絵の所有者等が譲渡等のために行うサムネイル表示として許されるか（著作47条の２）等についても検討した方が良いといえます。

２ その他の権利について

その他，写真や動画に，人の顔や姿が映っている場合，写っている人が承諾していれば問題ありませんが，そうでなければ，写っている人の肖像権やプライバシー権が問題となる場合があります。また，写っている人が芸能人など著名人の場合には，その人のパブリシティ権（その人の氏名や肖像が持つ顧客吸引力）がさらに問題となります。

また，写真などに，特定のブランドの商標が写っている場合に，ホームページが当該ブランドと関係があるような掲載の仕方をすると，不正競争防止法における周知商品等表示との混同惹起規制（不正競争2条1項1号）や，商標権侵害が問題となる場合があります。

なお，写真や動画に，他の著作物の映り込みがあった場合，分離困難などの要件を満たすときには侵害とはならないことがあります（著作30条の2）。

3　写真等の加工について

写真や絵，歌を加工する場合には，複製権（著作21条）・翻案権（同法27条）といった著作財産権の成否と，著作者人格権の1つである同一性保持権（同法20条）の成否が問題となります。

この点，パロディー写真事件の最高裁判決（最判昭和55・3・28 民集34巻3号244頁）は，雪山の斜面を滑降する写真の右上部にタイヤを配したモンタージュ写真を雑誌に掲載した行為に関し，同一性保持権侵害の成立を認めています。この判例では，著作権侵害の成否に関し，著作権の制限規定の1つである「引用」（著作32条、当時は旧著作権法30条1項2号）にあたらないかが争点になりましたが，最高裁は，引用にあたるというためには，①引用を含む著作物の表現形式上，引用して利用する側の著作物と，引用されて利用される側の著作物とを明瞭に区別して認識することができ，かつ，②両著作物の間に前者が主，後者が従の関係があると認められる必要があるとの判断基準を示し，被告の写真はこれらの要件を満たさず，「引用」にはあたらないと判示しています。なお，この判例の事案では，同一性保持権の侵害も認められていますが，引用等の著作権の制限規定は，同一性保持権等の著作者人格権を制限するものではないため（著作50条），仮に，引用の要件を満たす場合でも，同一性保持権侵害の成否の問題は別途検討する必要があります。

また，下級審の裁判例では，元の写真の上下または左右を一部削除して雑誌に掲載した場合や，写真に文字を重ねて雑誌に掲載した場合につき，元の写真の構図や表現が改変されているとして，同一性保持権侵害が認められた事案がありますので（東京地判平成11・3・26イルカ写真事件判時1694号142頁），このような改変を著作者の無断で行うことは避けたほうがよいでしょう。

なお，古典的な写真や絵，歌であれば，著作権の存続期間が満了している可能性があり，著作権が満了している場合には，複製権・翻案権侵害の点は問題なくなりますが，同一性保持権侵害の点については，著作者の死後も一定の要件の下でその侵害が問題とされますので（著作60条），注意が必要です。

Q45　SNSや動画共有サイトと著作権

SNSや動画共有サイトに写真や動画をアップロードしたいと考えていますが，どのような点に注意したらよいでしょうか。

また，有名な楽曲を自分で演奏した動画や，ゲームの実況動画を動画共有サイトにアップロードしたいのですが，問題はないでしょうか。

1　写真

著作権法10条１項８号では，「写真の著作物」が著作権法で保護されることを規定しています。そのため，写真に「創作性」があれば，その写真は撮影者の著作物として著作権で保護されます。写真の「創作性」は，被写体の選択・組合せ・配置，構図・カメラアングルの設定，シャッターチャンスの捕捉，被写体と光線との関係（順光，逆光，斜光等），陰影の付け方，色彩の配合，部分の強調・省略，背景等の諸要素を総合して，撮影者の個性が現れているか否かで判断されます。

ＳＮＳや動画共有サイト（両者を合わせて「ＳＮＳ等」といいます。）で他人が撮影した写真をアップロードした場合，その写真に創作性が認められ，著作物にあたれば，その著作物の著作権者の権利（複製権，翻案権，公衆送信権）を侵害することになります。プロのカメラマンが撮影した写真だけではなく，一般人による写真であっても，創作性が認められ，著作物にあたれば，その写真は著作権で保護されます。その写真に創作性が認められ，著作物にあたるか否か，また，著作物にあたる場合に著作権侵害になるか否かは，専門的な知識と経験が必要であるため，著作権法に詳しい弁護士に確認することを推奨します。

ただし，利用を考えている写真に創作性が認められ，他人の著作物にあたるとしても，①既にその写真が公表されているものであって，②その引用が公正な慣行に合致するものであり，③引用の目的上正当な範囲内で行われるものであれば，著作権法32条に基づき，その写真を利用することができます。ただし，引用にあたり，著作物の出所をその複製又は利用の態様に応じ合理的と認められる方法及び程度により，明示することが求められます（著作48条１項１号）。②の要件をみたし，適法な「引用」にあたるためには，⑴明瞭区別性と，⑵主従関係性が必要とされています（最判昭和55・３・28第一次写真パロディ事件民集34巻３号244頁）。⑴明瞭区別性とは，引用を含む著作物の表現形式上，引用して利用する側の著作物と，引用されて利用される側の著作物とを明瞭に区別して認識することができることを意味します。他方，⑵主従関係性とは，引用する著作物と引用される著作物の間に前者が主，後者が従の関係が認められることを意味します。ただし，近年の知財高裁の判決には，⑴及び⑵を要件とはせずに，著作権法32条１項の文言に忠実に，その引用が「公正な慣行に合致するもの」，「引用の目的上正当な範囲内で行われるもの」の要件を充たせばよく，明瞭区別性や主従関係性はその考慮要素にすぎないとする見解を採る判例もあります（例えば，知財高判平成22・10・13美術鑑定書事件判時2092号135頁）。引用を行う場合，原則として他人の著作物を改変せずに利用するものですが，引用の仕方（例えば，断片的な引用で著作者の主張と異なる主張をしているように受け取られる場合など）は，同一性保持権（著作20条1項）侵害などになる場合もあるため，注意が必要です。

また，ＳＮＳ等で著名人の写真を無断で使用した場合はパブリシティ権侵害の問題も生じます。パブリシティ権とは，氏名，肖像等が有する顧客吸引力を排他的に利用する権利のことをいいます。最高裁は，最判平成24・２・２民集66巻２号89頁（ピンク・レディー無断写真掲載事件）において，肖像等を無断で使用する行為は，①肖像等それ自体を独立して鑑賞の対象となる商品等として使用し，②商品等の差別化を図る目的で肖像等を商品に付し，③肖像等を商品等の広告として使用するなど，専ら肖像等の有する顧客吸引力の利用を目的とするといえる場合に，パブリシティ権を侵害するものとして，不法行為法上違法になると判断しています。そのため，ＳＮＳ等で著名人等の写真を無断で使用して，自分のサイトに誘導したり，自分が製造・販売する商品等の広告に無断で使用したりした場合には，パブリシティ権を侵害することになります。

２　動画

著作権法10条１項７号では，「映画の著作物」が著作権法で保護されることを規定しています。写真と同様，動画に「創作性」があれば，「映画の著作物」としてその動画は著作権で保護されます。他人が撮影した動画を利用する場合，上記の著作権法32条の「引用」の要件を充たさない場合，その動画の利用は，著作権者の権利（複製権，翻案権，公衆送信権）を侵害することになります。

また，著名人が映っている動画をアップロードすれば，著作権侵害の問題だけではなく，パブリシティ権侵害の問題も生じる場合があります。

３　動画共有サイトで音楽を利用する場合

市販（インターネットを通じてダウンロードする場合を含みます。）の音楽作品を利用した動画を動画共有サイトにアップロードする場合，①作詞家が創作した歌詞について「言語の著作物」（著作10条１項１号）の著作権の利用手続，②作曲家が創作した音楽について「音楽の著作物」（著作10条１項２号）の著作権の利用手続，③アーティスト（実演家）の演奏又は歌唱について著作隣接権（著作89条６項，著作91条１項（録音権），著作92条の２（送信可能化権））の利用手続がそれぞれ必要になります。また，市販のＣＤに収録されている音楽であれば，レコード製作者の著作隣接権（著作89条６項，著作96条（複製権），著作96条の２（送信可能化権））の利用手続も必要になります。

まず，①及び②ですが，作詞家には，創作性のある歌詞について「言語の著作物」としての著作権が成立しており，作曲家には，創作性のある音楽について「音楽の著作物」としての著作権が成立しています。これらの著作権について，作詞家及び作曲家に無断で楽曲を動画共有サイトにアップロードすれば，複製権，演奏権及び公衆送信権を侵害します。そのため，適法に利用するためには，作詞家及び作曲家から著作物について，権利ごとに利用許諾を受ける必要があります。ただし，著作権者である作詞家又は作曲家からＪＡＳＲＡＣ等の著作権管理事業者に対して，著作権の管理委託をされている音楽作品があります。このような音楽作品の場合，著作権者である作詞家や作曲家と直接交渉して音楽作品の利用許諾を受ける必要はなく，ＪＡＳＲＡＣ等に利用料を支払い，ＪＡＳＲＡＣ等から音楽作品の利用許諾を受ければよいことになります（他の著作権等管理事業者としては，ＮｅｘＴｏｎｅがあります。)。

一定の動画共有サイトは，ＪＡＳＲＡＣ等が管理する音楽作品の著作権について，ＪＡＳＲＡＣ等から包括的に利用許諾を受けている場合があります。例えば，ＹｏｕＴｕｂｅは，ＪＡＳＲＡＣ等からこの包括的な利用許諾を受けています。このような動画共有サイトでＪＡＳＲＡＣ等が管理する音楽作品を利用したい場合，ＪＡＳＲＡＣ等との間で直接利用許諾契約を締結する必要もなく，その音楽作品を自ら演奏し，かつ自ら歌唱した動画を動画共有サイトにアップロードしても，著作権侵害にはなりません。ただし，ＪＡＳＲＡＣ等が著作権の管理をしていない音楽作品もありますので，音楽作品の利用にあたって確認が必要です。また、動画のアーカイブやタイムシフトを行いかつ、動画の内容が特定の企業・団体の商品・サービスを宣伝するものに該当する場合、別途広告目的複製の手続も必要になります。

次に，③ですが，アーティスト（実演家）及びレコード製作者には，上記のとおり著作隣接権（著作89条６項）が成立します。市販の音楽作品は，上記の作詞家及び作曲家の著作権（言語の著作物，音楽の著作物）に加えて，その音楽作品を演奏し，又は歌唱するアーティスト（実演家）やレコード製作者の著作隣接権の権利処理手続が必要になります。簡単にいうと，音楽作品を自ら演奏又は歌唱して動画共有サイトにアップロードした場合は，著作隣接権を侵害しませんが，アーティストが演奏又は歌唱したものをアップロードしたりＣＤの音源をそのままアップロードしたりした場合は，著作隣接権を侵害するということです。

さらに，ＪＡＳＲＡＣは，音楽作品の著作権を管理しているものの，著作隣接権を管理していないという点も注意を要します。ＪＡＳＲＡＣが管理する音楽作品であったとしても，アーティストが演奏又は歌唱している音源やＣＤの音源を動画共有サイトにアップロードするためには，著作隣接権の利用手続を別途経なければなりません（自ら演奏又は歌唱をする場合は，著作隣接権の問題は生じませんので，①及び②の利用手続を行えばよく，別途著作隣接権の利用手続は不要です。)。

参考に著作隣接権の利用許諾を得るための窓口一覧を示します。

https://www.riaj.or.jp/leg/list.html

また，市販の音楽作品の編曲，替歌，訳詞などにより著作物を改変する場合，著作権だけでなく，改変の仕方によっては，著作者人格権（著作20条の同一性保持権）が問題になり，著作者（著作権と異なり，著作者人格権を譲渡することはできないため，著作権者と同一とは限りません。）との間で，著作者人格権の不行使の合意をする必要があります。

さらに，ＪＡＳＲＡＣでは管理している音楽作品であっても編曲権・翻案権の譲渡を受けていないため，音楽作品を編曲，替歌，訳詞などにより改変すれば，作詞家，作曲家などの著作物の翻案権を侵害する可能性があります。また，上記のとおり，著作者人格権は譲渡することはできない権利でありＪＡＳＲＡＣは著作者人格権の譲渡を受けていないことから，音楽作品を改変すれば，著作者の著作者人格権（同一性保持権）を侵害する可能性があります。

以上から，結論としては，ＪＡＳＲＡＣが管理する音楽作品をＪＡＳＲＡＣから包括的に利用許諾を受けている動画共有サイトにおいて，その音楽作品を改変せず，自ら演奏・歌唱した動画等をアップロードするような場合でない限り，著作権，著作隣接権，著作者人格権のいずれかの権利を侵害することになると考えます。

なお，動画共有サイトでの市販の音楽作品を利用する場合の注意事項をフローチャートで整理したものがＪＡＳＲＡＣのホームページにありますので，細かな手続きはそのページを参照してください。

https://www.jasrac.or.jp/info/network/pickup/movie.html

4　ゲーム実況動画

ゲームソフトの影像についても，目の残像現象を利用して動きのある画像として見せるという視覚的効果及び連続画像と音声・背景音楽・効果音等との同期による視聴覚的な効果である映画の効果と類似する効果を生じさせるため，創作性があれば「映画の著作物」（著作10条１項７号）にあたり（最判平成14・４・25中古ソフト事件民集56巻４号808頁），著作権法上の保護が受けられます。そのため，プレイ実況動画を動画サイトで公開すれば，複製権及び公衆送信権を侵害することになります。

もっとも，ゲームメーカーによってはガイドラインを公表している場合があり，ガイドラインに従って実況動画を配信する限りは，利用許諾が成立できると評価されるため，著作権侵害は成立しないと考えられます。ただし，ガイドラインの記載に基づいて，プレイ実況動画の配信について期間制限が設けられたり（例えば，ゲームソフトの発売後，〇日間は，チャプター〇までしか配信してはならないといった内容），特定のチャプターや特定のシーンについては配信が禁止されていたりする場合もありますので，ゲーム実況動画を配信する場合はそのゲームソフトのメーカに問い合わせをすることをお勧めします。

5　ネタバレサイト

ネタバレサイトとは，小説，テレビ番組，映画，漫画，ゲームなどの内容のうち，物語の仕掛けや結末といった重要な部分を暴露するウェブサイト等のことをいいます。

ネタバレ行為が，例えば，映画のワンシーンの映像をそのまま使用しているような場合は，映画の著作物の複製権，公衆送信権を侵害していることになりますが，映画における映像を使用せずに，仕掛けや結末を言葉で表現した場合（例えば，犯人は〇である），著作権が保護する表現を複製したり，公衆送信したりしているわけではないため，著作権侵害にはなりません。

ただし，ネタバレ行為が社会的相当を欠くような態様又は方法でなされたような場合は，民法の不法行為となり，損害賠償義務を負う場合もあると考えられます。

また，例えば，漫画のネタバレに関して，絵とセリフからなるコマ部分をそのまま利用したり，映画のセリフをそのまま掲載したりしているようなウェブサイトもあります。この場合，創作性があり，著作物性がある表現を複製しているのであれば，著作権侵害になりますが，1で記載した「引用」の要件をみたす場合は，著作権侵害にならない場合もあります。

Q46　ホームページ開設者の責任等

第三者のホームページ上で，私が撮影した写真が無断で掲載されています。ホームページ運営者に削除等を求めることができるでしょうか。

1　掲載の削除の請求について

写真も著作物ですので，第三者のホームページに無断で掲載された場合には，著作権侵害が問題となります。すなわち，ホームページ上に著作物を掲載した場合，少なくとも送信可能化（著作２条１項９号の５）を行っているといえるので，写真の著作権者の公衆送信権（著作23条）を侵害しているといえます。

そして，著作権侵害がなされた場合，著作権者は侵害者に対して，侵害行為の停止，すなわち，ホームページからの削除を求めることができます（著作112条）。その他に，著作権者は侵害者に対して，損害賠償請求を行うこともできます（民709条，著作114条）。

具体的には，他の事件と同様，まずは，侵害者に対して警告を行い，それでも対応がなされなければ，仮処分あるいは本案訴訟の提起を行うといった手段をとることになります。

本問の設例の事案は，ホームページの運営者が自ら写真をアップしている事案であるため，ホームページ上に掲載されている運営者の会社名や氏名，連絡先を確認し，まずは，その連絡先に連絡をして，削除や損害賠償等を求めるのが通常です。

削除要請の文章に関しては，決まった書式があるわけではありませんが，文化庁のウェブサイト（https://www.bunka.go.jp/seisaku/chosakuken/kaizoku/singai_guide.html）に削除要請メールや削除要請通知の参考書式が掲載されていますので，参考になります。

2　ホームページ開設者の情報が不明な場合の対応

（１）ホームページ開設者の情報の調査

上記のとおり，ホームページ上に運営者の連絡先（住所，メールアドレス等）が掲載されている場合には，その連絡先に連絡を取ることになりますが，連絡先の記載がない場合やホームページに記載のメールアドレス等に連絡をしても連絡がつかない場合もあり，このような事案では，具体的な交渉に入る前段階の作業として，ホームページ運営者の特定のための手続を行う必要が生じます。

ホームページ上に開設者の情報の記載がない場合の対応策としては，ホームページのドメイン名等を手掛かりに開設者の情報を探ることが考えられます。

ドメイン名の登録情報検索サービスである「WHOIS」を利用すると，ドメイン名の登録者の情報を得ることができ，企業のウェブサイトのような独自ドメインのウェブサイトの場合には，この方法で，ホームページ開設者の情報が得られる場合があります。

もっとも，ホームページ運営者がWHOIS情報公開代行サービスを利用している場合，WHOISの検索では，代行業者の連絡先が表示されることになるため，実際のホームページの運営者（ホームページを作成した情報発信者）までは把握できません。そのため，このような場合には，プロバイダに対し，発信者情報の開示を求める方法でホームページ運営者の特定を行う必要が生じます。

（２）プロバイダ責任制限法に基づく発信者情報開示請求

インターネット上の情報発信者の開示請求に関しては，プロバイダ責任制限法（正式名「特定電気通信役務提供者の損害賠償責任の制限及び発信者の情報の開示に関する法律」）の第３章（発信者情報の開示請求等），第４章（発信者情報開示命令事件に関する裁判手続）に規定が設けられています。

WHOISの検索でホームページ運営者の情報が判明しなかった場合，プロバイダ責任法５条１項に基づき，プロバイダに対し，発信者情報の任意開示を求めることができます。本件の事案では，写真の著作権が侵害されている旨を説明した発信者情報開示請求書をプロバイダに提出し，①発信者等の氏名又は名称，②発信者等の住所，③発信者の電子メールアドレス，④侵害情報に係るＩＰアドレス，⑤侵害情報が送信された時刻等の情報の開示を求めることになります。

プロバイダに対する裁判外での発信者情報開示請求の書式やプロバイダ責任制限法に関する種々の情報に関しては，「プロバイダ責任制限法 関連情報Webサイト」（https://www.isplaw.jp/）に掲載されており，参考になります。また，プロバイダ責任制限法に基づき，発信者情報開示請求がなされた場合のプロバイダの対処方針に関しては，プロバイダ責任制限法ガイドライン等検討協議会が作成したガイドラインが同団体のウェブサイト（https://www.telesa.or.jp/consortium/provider/index.html）に公開されていますので，適宜，参考にして下さい。

（３）発信者情報開示請求書を受け取ったプロバイダの対応

発信者情報開示請求書を受け取ったプロバイダは，ホームページ運営者に連絡をし，発信者情報の開示の可否に関する意見を求めることになります（プロバイダ責任制限法６条）。

ホームページ運営者が著作権侵害の事実をあまりきちんと認識していなかったようなケースでは，この段階で，ホームページ運営者が，自発的に写真の掲載を削除し，解決するケースもあります。

一方，ホームページ運営者が，自発的な削除をせず，侵害の成立を争ってきた場合等には，プロバイダは，裁判外での開示請求には容易には応じない傾向があります。これは，プロバイダが開示請求の要件判断を誤って発信者情報の開示をした場合，発信者からの責任追及を受けるリスクがあるためであり，プロバイダとの裁判外で，それ以上交渉をしても任意の開示はしてもらえないケースが大半です。

（４）仮処分又は本案訴訟に基づく開示請求

プロバイダが発信者情報の任意開示に応じない場合，裁判所に対し，発信者情報開示請求の仮処分申立や本案訴訟の提起を行うことが可能です。

仮処分の申し立てに関しては，裁判所は，被害者に生じ得る著しい損害または急迫の危険を避けるために必要と判断した場合は，プロバイダに対して発信者情報開示の仮処分命令を発します（民事保全法23条２項）。この仮処分申立に関しては，審尋期日が開催されるため，４～６カ月程度の期間を要することが一般的です。また，仮処分の決定に際しては，担保金の供託も必要になります。

3　掲示板やＳＮＳ等に写真がアップされた場合の対応

設例の事例は，ホームページ運営者が自らのホームページに写真をアップした事案ですが，掲示板やＳＮＳのようにコンテンツプロバイダが介在する案件では，より複雑な問題が生じます。これは，設例のような事案では，ホームページ運営者が侵害者であるのに対し，コンテンツプロバイダが介在する掲示板やＳＮＳ上での侵害行為の事案では，ホームページ運営者と侵害者（投稿者）が別の主体になるためです。

コンテンツプロバイダが介在する案件の手続の流れは，おおむね以下の通りとなります。

①　問題の投稿がされたホームページの管理者（掲示板やＳＮＳの管理者）に，投稿者のＩＰアドレスの開示を要請する。

②　①で任意の開示がなされない場合，ガイドラインに沿った形式で，投稿者のＩＰアドレスの開示を要求する。

③　②でも開示がなされない場合，管理者に対して発信者情報の開示及び投稿の削除を求める仮処分を提起する。

上記の③の仮処分で，投稿者のＩＰアドレス（グローバルＩＰアドレス）の開示及び投稿の削除を認める決定がなされれば，問題の投稿は削除されるため，投稿の削除を主眼にしている案件では，これで目的が達成されることになります。一方，投稿者に対する損害賠償請求を行いたい案件の場合には，さらに以下の手続が必要になります。

④　③の手続で開示を受けた投稿者のＩＰアドレスをWHOISで調べ，アクセスプロバイダを確認する。

⑤　アクセスプロバイダに対して，そのＩＰアドレスを使用した者の氏名・住所等の開示を要請する（ただし，任意の開示はされない場合が多い。）。

⑥　アクセスプロバイダに対して，発信者情報の開示請求の訴訟（本案）を提起する。

⑦　⑥で認容判決を得た場合，そのＩＰアドレスの使用者（投稿者）の氏名・住所等が判明するため，投稿者に対して，損害賠償等の請求をする。

なお，上記の④～⑦の手続をあえて行うかどうかは，手続きに要する費用と獲得できる賠償額の見込み等を考慮して，慎重に検討する必要があります。

また，投稿者の携帯電話番号がわかれば，その携帯電話番号を管理するキャリアに対して弁護士照会をすることで，投稿者の氏名・住所等が判明する場合もあります。

4　令和３年改正で新設された非訟手続

令和３年のプロバイダ責任制限法改正で，従来の発信者情報開示請求の問題点を改善するため，発信者情報の開示請求に係る新たな裁判手続（非訟手続）が創設されると共に，開示請求を行うことができる範囲の見直しを行う等の改正が行われました。

改正前のプロバイダ責任制限法に基づく裁判上の開示請求は，開示の要件の判断が容易な事案でも，審尋期日の開催が必要となり，当事者に多くの時間・コストがかかり，迅速な被害者救済の妨げとなっているとの指摘がありました。

また，３で述べたとおり，ＳＮＳで他者の権利を侵害する情報の発信がなされた場合，発信者（投稿者）の特定のため，ＳＮＳ事業者等のコンテンツプロバイダから投稿者に関する情報（通常はグローバルＩＰアドレス等）の開示と，通信事業者等のアクセスプロバイダからのグローバルＩＰアドレスを利用していた者の氏名・住所等の開示の２回の裁判手続を経なくてはいけないとの問題点もありました。

令和３年の法改正で新たにプロバイダ責任制限法の第４章に導入された新たな裁判手続（非訟手続）は，発信者情報の開示を１つの手続で行うことができるようにした手続であり，この手続を活用することで，発信者情報の開示手続を，簡易かつ迅速に行うことができるようになりました。

もっとも，事前にプロバイダから強く争う姿勢を示されたケースなど，裁判所が非訟手続で開示命令を発したとしても異議の訴えが提起され訴訟に移行するとあらかじめ見込まれるような事案については，非訟手続を選択するとかえって審理期間が長期化する可能性もあるため，事案に応じて，従来型の裁判手続と新たに導入された非訟手続を使い分けていくことが必要になります。

第３章　知的財産権侵害訴訟等

Q47　知的財産権侵害訴訟の特徴

知的財産権侵害訴訟と一般の民事訴訟は，どのように違うのでしょうか。また，侵害訴訟を取扱う際，どういう点に注意すべきでしょうか。

1　知的財産権侵害訴訟と一般民事訴訟の相違点

（１）概要

知的財産権侵害訴訟は，広く不法行為訴訟の類型に属しますが，一般の民事訴訟事件と異なり，①保護法益が権利者に独占を認める知的財産権という無体財産権であり，その救済として，損害賠償請求以外に，一般に差止請求が認められること，②審理の対象が無体財産権であるため侵害行為や損害額の主張・立証が困難であり，特に技術系の特許や実用新案の審理では，専門的な技術的事項やそのビジネス的な価値が対象になること，③知的財産権の紛争はビジネスに直結するため，迅速かつ充実した審理の要請が大きいこと，④登録を前提とする産業財産権の侵害が問題となる紛争の場合，侵害訴訟だけでなく，特許庁における無効審判等の審判や審決取消訴訟等の他の手続との調整が必要となること，といった特殊性があります。

このため，知的財産権侵害訴訟を担当する東京地裁や大阪地裁の専門部や知的財産高等裁判所では，一般の民事訴訟事件と異なる確立した審理方法，訴訟指揮等がありますので，知的財産権侵害訴訟に関わる際，その特徴に留意し，しっかりした準備をしておくことが大事です。

（２）専門的な技術に関する事項からの特徴

知的財産権侵害訴訟の内，例えば，特許権や実用新案権が問題となっているような場合であれば，侵害行為の認定の前提として，相手方の対象製品や方法が，本件特許発明の技術的範囲に属するかという技術的な判断が前提となりますから，公報の読み込みも含め，特許発明に関連する技術の理解が必要となります。

また，このような技術的な専門性から，知的財産権侵害訴訟は民事訴訟法において特別な管轄も定められており，知的財産高等裁判所や知的財産専門部の設置，審理における調査官や専門委員の関与などが予定されていますので（Q49を参照），弁護士としては，知的財産権侵害訴訟に特有の手続や訴訟運営に対応できることがまず必要となります。

（３）差止請求権が認められていることからの特徴

知的財産権の侵害に対する救済としては，損害賠償請求等の事後的な金銭的な回復だけでなく，侵害行為等の差止請求権が認められています（Q２を参照）。

差止請求は，侵害物品や方法の製造，販売，使用等を禁止する強い救済手段である一方，行為の悪質性と保護法益の要保護性との相関関係で違法行為の成否を判断する一般の不法行為訴訟とは異なり，独占の認められる知的財産権を対象として，許諾のない実施や禁止されている行為をしたと認定されれば，妨害排除や妨害予防の差止めの必要性を前提に実体法上の請求権として差止請求権が発生する特徴があります。

このため，知的財産権侵害訴訟では，訴訟係属後，まず，侵害論に集中した審理が進み，権利者が被った損害の額に関しては，裁判所から侵害が成立するとの心証開示があった後で審理されることが一般的です。

なお，差止を早期に実現するための方法としては，侵害行為差止の仮処分を提起する方法もあります。侵害行為差止の仮処分は，仮の地位を定める仮処分事件として債務者審尋を要する慎重な民事保全事件となりますが，一般の民事保全事件と異なり，知的財産権侵害事件の仮処分事件の場合，保全の必要性が高いことを理由に被保全権利の疎明を緩やかに認めるという運用をしていません。このため，本案事件と仮処分事件が同時係属する場合，仮処分事件も本案事件と期日を同じくして進行し，本案事件で侵害論の心証が開示されるまでは仮処分決定が発令されないことも多く，それなりの時間を必要とします。また，仮処分命令が出る場合も，その影響が大きいことから相当な金額の担保（保全決定時の侵害の蓋然性認定に応じて異なりますが，原則的に，被疑侵害者が本案事件で差止判決を受けるであろう時期までの期間を対象として，仮に差止められる被疑侵害物品・方法の製造販売・使用行為により得られたはずの被疑侵害者の利益が担保金算定の基準になります）を必要としますので，本案事件とは別に仮処分事件を申し立てる必要性について慎重な吟味が必要です。

（４）侵害行為や損害額の主張・立証の困難性からの特徴

知的財産は，不動産などとは異なり，無体財産であり占有により管理されていませんので，侵害行為があったこと自体を権利者が把握することは難しいものです。特に，工場内での製法の発明の実施等，相手方の支配下で行われる侵害行為の内容の立証に困難が伴う場面が少なくありません。また，権利者が受けた損害に関しても，例えば，市場における自社製品の売上の減少の額やその侵害行為との因果関係を立証することが困難です。

そこで，知的財産権侵害訴訟では，権利者の立証の困難を解消し，知的財産権の保護を図るとの趣旨で，相手方が権利者の主張する被疑侵害物品等の内容を争う場合の具体的態様の明示義務，侵害立証のための書類提出命令（ただし，実務的には侵害の可能性をかなり疎明しておく必要があります），損害立証のための計算鑑定人の手続の拡充といった特別の規定（Q49を参照）が設けられるとともに，損害額については推定規定等（Q２，Q50を参照）を定めています。

また，物を生産する方法の発明の場合，生産された物が我が国で公知でない物であった場合，製法が推定されたり（特許104条），製法等の技術上の秘密の不正取得等した者については，当該営業秘密の使用が推定されたり（不競５条の２），立証責任の一部の転換規定も定められています。

知的財産権侵害訴訟を提起する側である場合は，特にこのような規定を最大限利用して，どのように保護を求めるかを考える必要があり，訴えられた側は，少なくとも具体的態様の明示義務への合理的対応（理由を示さない徒な事実開示の拒否は，心証に不利な影響を及ぼすリスクがあります）の方策を考える必要があります。

（５）迅速かつ充実した審理の要請からの特徴

知的財産権紛争の発生は，事業の将来予想に影響のある差止問題や高額な損害賠償責任の潜在的負債といった上場会社の開示情報となる場合もあり，また，ビジネスに大きな影響を与える事項に直結するため，産業界からも注目され，迅速かつ充実した審理の要請が大きい紛争です。このため，大阪地裁や東京地裁の知的財産権専門部は，訴えの提起から約１年程度で判決（請求棄却判決の場合。認容判決の場合には損害論の審理がさらに半年から約１年半程度を要します）又は和解による紛争解決を行えるよう，特許，実用新案，意匠，商標，商品等表示に関わる不正競争防止法上の訴訟等，一定の知的財産権侵害訴訟の類型に応じて計画審理として「審理モデル」を利用した訴訟進行がなされています（Q48を参照）。

審理モデルの第一の特徴は，審理を①侵害論，すなわち，侵害の有無に関する審理，例えば，特許なら侵害対象物件が特許権の技術的範囲に属するか否かについての審理と，②損害論，すなわち，損害額に関する審理と，二つの審理場面を分けて審理する点にあります。先行する侵害論の審理において，計画審理の下で，特許や実用新案の技術的範囲の属否論，意匠や商標の類否論，産業財産権の無効論，不正競争防止法の周知な商品等表示性と類否論といった客観的な侵害の成否に関して，一定時期までに主張立証を尽くすことが求められますので，入念な準備が重要です。また，例えば，①侵害論だけで終結し，②損害論に入らず判決言い渡し期日が指定されるような場合，侵害の心証が得られず，棄却判決が出ることを意味しますし，損害論への移行が裁判所より告げられると，当該審級において裁判所が侵害心証を得たものとして，少なくとも，差止判決がでる可能性が高いことを意味します。このため，一般の事件もそうですが，弁護士としては，審理の状況や裁判所の心証を分析しながら和解の契機を見逃さないことも重要です。

知的財産権侵害訴訟では，当事者の主張，立証は技術的で複雑なものとなるため，弁論準備手続期日が指定されることが通常で，その中で進行計画の協議，争点整理，場合によっては技術説明会が行われることもあります。また，証拠方法についても，特許公報，公知技術資料，鑑定書，実験報告書といった大量の書証が出されることが多いのが特徴です。また，近時は訴訟促進の観点から一般の民事訴訟事件でも共通の傾向はありますが，知的財産権侵害訴訟は，争点の多くが技術や法律に関連する評価問題であることが多いことや，事実関係の存否を客観的に明らかにする審理・判断が求められていることもあり，職務発明や営業秘密等の一部の事件を除き，証人尋問や当事者尋問等の人証の証拠調べを実施しない事件が多いのも特徴です。

（６）無効審判等の審判手続との関係からの特徴

対象となる知的財産権が登録によって発生する権利である産業財産権の場合には，特に被告側は，無効事由や取消事由があるかを検討する必要があります。

現在，知的財産権侵害訴訟の中においても，権利行使制限の抗弁としての無効の抗弁を主張することは可能ですが（特許104条の３，実用新案30条，意匠41条，商標39条，Q51を参照），登録された知的財産権を対世的に無効とするためには，特許庁に対して無効審判等を同時に申し立てることが必要です（裁判所で，例えば，特許等の無効確認訴訟は認められておらず，差止請求権や損害賠償請求権の不存在確認訴訟（反訴含む）といった特殊な訴訟類型が議論されるだけですし，対世効はありません）。

侵害者側の代理人の立場で考えると，侵害訴訟における無効の抗弁，特許庁の無効審判のそれぞれの特質を十分に検討した上で，無効審判請求の要否を検討する必要があります。権利者側では，無効事由を回避するために特許庁に対し自発的に訂正審判を申し立てるか，無効審判請求事件の中で訂正請求を求めることも検討の対象になります。知的財産権侵害訴訟では，これらの特許庁における審判手続やその審決取消訴訟等の関係や対応も同時に見据えながら，効果的な戦略を立てる必要があります（Q52, 53を参照）。

2　知的財産権侵害訴訟を取扱う際の注意点

上記の知的財産権侵害訴訟の手続的な特色につき，依頼者にも説明ができるようにしっかりと理解した上で取り組む必要がありますが，特に，以下の点に注意する必要があります。

（１）事前の準備の重要性

上記で述べましたように，知的財産権侵害訴訟に関して迅速かつ充実した審理の実現のための「審理モデル」により主張の時期等が定められていること，また，認定される損害賠償額も高額となってきていること，その結果もビジネスと直結することから，権利者側でも侵害警告を受けた側でも，事前に十分な準備を行っていくことの重要性はより大きいものとなっています。

特に，無効の抗弁や先使用の抗弁等の権利行使制限の抗弁の主張のため必要な先行技術調査などは，その調査にも時間もかかりますから，できるだけ早い段階から取り掛かる必要があります。あまり遅い段階で主張を追加した場合，例えば，損害論に入った後に権利行使制限の抗弁を主張したような場合には，不当遅延目的の攻撃防御方法（特許104条の３第２項）や時機に後れた攻撃防御方法（民訴157条）等として却下される可能性も高まりますので，注意が必要です。

訴訟提起側としては，訴訟を提起してから証拠を探すというのではなく，訴訟提起前から相手方の反論を予想して主張，立証できる準備を可能な限りしておくことが肝要です。

また，上記でも述べましたが，知的財産権侵害訴訟の場合，無効審判等の手続等の関係も見据えて，全体的な戦略を立てる必要があります。これについてもできるだけ早いうちに証拠を調査して準備をして，全体の見通しを立てることが重要になってきます。

（２）営業秘密に対する配慮

知的財産関係訴訟においては，営業秘密に対する配慮が必要な事案が多いのも特徴です。例えば，不正競争防止法上で営業秘密の保護を求める訴訟が典型ですが，それ以外にも，非公開の技術内容を先使用権の抗弁のために主張する場合，製造方法特許に基づく侵害訴訟において自社で実施している製造方法を開示する必要がある場合，損害論の審理において自社製品の売上額・経費額，利益額等を開示する必要がある場合のように，自社の技術資料や経理情報等の営業秘密情報を証拠として提出せざるをえない場合もあり，営業秘密の取り扱いに苦慮する局面が多くあります。訴訟は，原則，公開手続であり，訴訟記録の閲覧は第三者でも可能ですから，企業にとって重要な営業秘密が訴訟によって漏洩することになり大損害を被らないように，代理人としては訴訟進行にあわせて常に依頼者の営業秘密への配慮を必要とします。

法定された方法論としては，まず，裁判所に対し閲覧等制限の申立（民訴92条）をすることが考えられます。ただし，閲覧等制限の申立後，裁判所が決定を出すまでの間は閲覧が可能ですし，当該決定前に不特定の第三者が閲覧・謄写すれば，そもそもの営業秘密性を失うことになりますので，当該申立は提出と同時か，遅くとも次回期日までの間を目処にできるだけ早く処理した方が良いでしょう。実際，相手方が主張にこちらが提出した証拠内容を引用した場合，当該部分に当方の営業秘密がある場合もあり，その場合は，相手方の主張書面にまで注意が必要となります。また，判決文にこれらの営業秘密が記載されることもあり，特に，判決は，予め閲覧等制限する旨の意向等を伝えていないと，知的財産権侵害訴訟の場合，判決言い渡し期日後速やかに裁判所のホームページからインターネットでも公開されますので，判決言渡しの前後も注意の必要があります。

また，知的財産関係訴訟では，インカメラ手続（特許105条２項～６項）や秘密保持命令（特許105条の４以下），当事者尋問等の公開停止（特許105条の７）等の営業秘密を保護するための特別規定も設けられておりますので（Q49を参照），代理人としてこれらの特別の制度を利用することも検討すべきです。

Q48　計画審理

知的財産権侵害訴訟において，裁判所では「計画審理モデル」等が作成され，これに基づく訴訟進行がされているそうですが，それはどのようなものなのでしょう。

1　概要

（1）計画審理モデル

平成８年民事訴訟法の改正法により計画審理の手法が大幅に取り入れられるとともに，審理期間の短縮を目指し，新法施行後の平成10年１月以降，医療過誤訴訟，建築訴訟のような訴訟類型で審理モデルが発表されるようになりました。

知的財産権侵害訴訟の分野でも，従前の訴訟慣行に加え，審理期間を短縮すべく，裁判所より計画審理の手法が公表されており，知財を専門に扱う弁護士，弁理士らにその浸透を図っています。

知的財産権侵害訴訟の一審裁判所として集中・専属管轄を有する東京地裁と大阪地裁の知的財産権専門部では，現在本問末尾に引用した「審理モデル」を利用した計画審理を行うことを公表しています。

なお，特許等でも職務発明関連の紛争，著作権訴訟全般，不正競争防止法上の紛争の中でも営業秘密に関する訴訟等は，事件ごとの個別性が大きく，審理モデルとして類型化されていませんが，上記の審理モデルを念頭に，ある程度，定型的な裁判所の訴訟指揮に基づく審理の進行がはかられています。

（2）経緯

平成11年の終わりころから，大阪地裁の第21民事部（当時，知財専門部は第21民事部のみ）では，平成11年から開催されている大阪弁護士会の知的財産権法実務研究会（その後，知的財産委員会と共催）と協議の上で，特許・実用新案権侵害事件と，意匠・商標権事件，不正競争防止法（２条１項１号ないし３号）事件の2種類の審理モデル（旧モデル）を作成していました。審理の予見性を高め，審理の迅速化を図ったものです。当時の旧モデルは，侵害論の審理についてだけのものでした。

同じ時期，東京地裁の方では，平成12年，東京地方裁判所知的財産権訴訟検討委員会「知的財産権侵害訴訟の運営に関する提言」（判タ1042号４頁）を公表しました。

当時の計画審理の主眼は，被疑侵害物品・方法の特定論と侵害論とに分かれていた侵害論を統一して，先行して内容を確定する必要があるとされてきた目録の特定論に費やす審理期間を侵害論の中で解決を図るようにするとともに（具体的には目録の特定を，原則，商品名・型番の特定で足りるとした上，侵害論の中で具体的な構成を主張・立証の対象にするとの手続き），従前より知的財産権侵害訴訟で広く受容されていた侵害論終了後の損害論の審理時において被告から積極的な書証の提出を促すこと，最判平成12・4・11民集54巻４号1368頁（キルビー事件）に前後し多発していた無効論に関する審理の整理，及び原告・被告の双方にその主張・立証に要すべき期間を予め明確にさせてから，定められた時期までにその主張・立証を行うようにさせる計画審理の運営を定着させる点に主眼を置くものでした。

その後，大阪地裁では，平成14年11月には，損害論の審理も含めた２種類の審理モデルに変更するとともに，「損害論の審理に関するお願い」を作成しました。

現在の「審理モデル」は，大阪地方裁判所の知財専門部が2か部（第26民事部が知財部となった）となった平成16年4月に，若干の修正が行われた後，平成25年3月，特許・実用新案権侵害事件の審理モデルに関して，口頭弁論期日と弁論準備手続期日とを区別するとともに，同種の事件で活用されるようになった専門委員の指定を前提とする技術説明会の開催を取り入れる等して公表されたものが使用されています。

東京地裁では，判例タイムズでの公表を除くと，損害賠償等に関する審理についてというお知らせだけをホームページに公表するとの対応が長く続いていましたが，平成24年1月より特許権侵害訴訟の審理モデルを公表して従前の実務を整理しております。

現在の東京地裁の審理モデルは，大阪地裁の審理モデルと比較すると，期日間での具体的な日数等が記載されていませんが，実務的な運用は大きく異なりません。

2　計画審理の運用

(1)「審理モデル」に基づく審理計画の立案

東京地裁及び大阪地裁では，「審理モデル」を訴訟開始時に原告訴訟代理人に交付するとともに，被告への訴状送達に際してもこれを同封するとの運用を行っています。第1回口頭弁論期日等において，裁判所と当事者双方（代理人）が訴訟進行について協議を行い，これに基づいて審理計画を立案しています（詳細については，大阪地裁は，http://www.courts.go.jp/osaka/saiban/tetuzuki_ip/index.html，東京地裁は，http://www.courts.go.jp/tokyo/saiban/singairon/index.html)。

(2) 民事訴訟法上の位置づけ

民事訴訟法（平成15年改正）は，計画審理（民訴147条の2以下），審理計画が定められている場合の攻撃防御方法の提出期間（民訴156条の2），攻撃防御方法の却下（民訴157条の2）を定めておりますが，各事件における審理計画が「審理モデル」に基づいて立案されます。

もっとも，「審理モデルは，あくまでも標準的な審理を示すモデルであるから，合意なしに当事者を拘束するものではない。具体的な審理計画は，当事者と十分協議して立てることになる。」（山田知司「大阪地裁における知財訴訟の現状と分析」知的財産権訴訟の動向と課題－知財高裁1周年－金判増刊1236号25頁，高野輝久「東京地裁知的財産権部における審理について 特許権侵害訴訟を中心に」判タ1390号66頁）とされており，実際の事件では，具体的な審理計画は，その事件の内容や状況に応じて柔軟に定められています。

3　まとめ

知的財産権侵害訴訟では上記のような運用をとっておりますので，計画審理から大きく逸脱した主張・立証に対しては，時機後れの攻撃防御方法であるとして却下されるリスクがあります（民訴157条)。訴訟代理人としては，迅速な準備と提出とが必要となります。特に，被告側は，先行技術や出願経過の調査に一定の期間を要しますので，かなりタイトな訴訟活動となることが多くありますし，相手の反論を予測しない準備不足のまま訴訟提起した原告側も，訴訟提起後に苦労します。

Q48 添付資料①
（大阪地裁の審理モデル）

特許・実用新案権侵害事件の審理モデル

大阪地方裁判所知的財産権専門部（第２１・２６民事部）

当事者の充実した訴訟準備

侵害論の審理

0　訴え提起　基本的証拠の提出
（公報，登録原簿，侵害行為関係，事前交渉関係）
被告：答弁書の準備

30日

30　口頭弁論①　原告：訴状陳述
被告：答弁書陳述（属否論についての反論）
（期日間）　被告：先行技術の検索（～90日）
双方：属否論の主張・立証準備

40日

70　弁論準備①　原告：第1準備書面（属否論についての再反論）
（被告：第1準備書面）
（期日間）　被告：無効論の主張・立証準備

40日

110　弁論準備②　（原告：第2準備書面）
被告：第2準備書面（無効論の主張）

弁論準備②において，属否論にめど

40日

150　弁論準備③　原告：第3準備書面（無効論についての反論）
（被告：第3準備書面）

40日

190　弁論準備④　被告：第4準備書面（無効論についての再反論）
（原告：第4準備書面）

弁論準備④において，無効論のめど

（期日間）　　　（裁判所：専門委員の指定）

50日

240　弁論準備⑤　技術説明会の実施

40日

280　弁論準備⑥　裁判所：侵害論の判断　口頭弁論②・終結　和　解

損害論の審理

30日

310　弁論準備⑦　被告：売上，利益率の開示，売上に関する基本的な証拠の開示

原告：損害主張整理，証拠の提出

30日

340　弁論準備⑧　口頭弁論②・終結　和　解

双方：主張・立証の補充

（平成２５年３月改訂）

意匠・商標権侵害事件、不正競争（１号、２号、３号）事件の審理モデル

大阪地方裁判所知的財産権専門部（第２１・２６民事部）

当事者の充実した訴訟準備

↓

0　訴え提起　基本的証拠の提出
（公報、登録原簿、実施品、侵害品、周知性に関する資料、
事前交渉関係書類等）

↓ 30日

30　口頭弁論①　原告：訴状陳述
被告：答弁書陳述
原告：周知性・著名性の立証期限（30日）
被告：対象物件の提出要請
公知資料等の収集期限（約60日）
主張立証準備（侵害論全般）（30日）

↓ 30日

60　弁論準備①　原告：周知性・著名性の立証終了
被告：第１準備書面
（公知資料や取引の実情に基づく類否の主張｛要部認定、
通常有する形態等｝）
立証（公知資料等の提出）
被告：立証準備

↓ 30日

90　弁論準備②　原告：第１準備書面
被告：公知資料等の立証終了

↓ 30日

120　弁論準備③　双方：主張・立証の補充

↓ 40日

160　弁論準備④　裁判所：弁論準備手続終結

同日　口頭弁論②　裁判所：**侵害論の判断** → 終　結　和　解

↓

損害論の審理

10日　原告：損害主張整理、文書提出命令申立、（計算鑑定申立）
20日　被告：認否、反論、立証準備（裏付資料提出｛損益計算書、
貸借対照表、月別・取引先別の売上帳・仕入台帳等｝）

↓ 30日

190　口頭弁論③　被告：追加資料提出

↓ 30日

220　口頭弁論④ → 終　結　和　解

（平成１６年４月改訂）

損害論の審理に関するお願い

大阪地方裁判所知的財産権専門部
（第２１民事部・第２６民事部）

当部の知的財産権訴訟における損害論（損害の発生及び額）の審理について、次の点にご留意下さい。

１　侵害論と損害論の審理順序

特許権侵害訴訟その他の知的財産権訴訟では，損害賠償や不当利得返還等の請求がされている場合も、まず対象物件が特許権等を侵害するかどうか（侵害論）の審理を集中して行います。その審理の結果に基づいて、裁判所が損害の発生及び額（損害論）の審理に入る必要があると判断したときに，損害論の審理に入ることになります。

２　原告側の準備

損害賠償等を請求する原告は、侵害論の審理中においても、損害論の審理に入った場合に適切に対応することができるように、予め資料を収集するなどの準備をしておいて下さい。損害論の審理に入った後は、必要であれば直ちに、訴え提起段階での損害の主張の補正を行うとともに、自己の主張の裏付けとなる文書を提出して下さい。特に、特許法１０２条１項に基づく損害の主張をするのであれば、自己の製品の単位数量当たりの利益額を立証するための文書の提出が必要になります。

３　被告側の準備

被告の側でも、侵害論の審理中に、損害算定の資料（帳簿類等）の保存と整理に努めるなどして、仮に損害論の審理に入った場合には迅速に対応することができるように準備しておいて下さい。また、損害論の審理に入った後は、原告の損害に関する主張に対する具体的な認否及び損害論に関する被告の主張を速やかに提出して下さい。

４　損害立証の文書

被告側が自己の販売数、販売額等に関する具体的立証を行う場合に提出が必要とされる裏付け資料は、該当年度の貸借対照表、損益計算書、月別又は取引先別の売上帳、仕入台帳などです。これらの資料を基に損害論の審理を進め、その上で必要と判断された場合に、一定の範囲で、個々の取引に関する注文書、納品書、売上伝票等の提出が求められる場合があります。

５　損害論の審理の集中

損害論の審理に入る際には、裁判所はその旨を明らかにします。損害論の審理に入った後は、当事者の協力のもとに損害論の審理を集中して行います。侵害論の争点についての蒸し返しの主張や新たな主張・証拠を提出することは認めていません。

６　損害立証の文書の提出

被告が任意に損害立証に必要な文書を提出しない場合は、原告の申立てにより裁判所が必要と認める範囲で文書提出命令を発令することになります（特許法１０５条等）。損害論の審理が円滑に進行するためには、立証の必要性と被告の営業秘密の保護に配慮して、当事者間で、裁判所に提出する文書の範囲、相手方による原本確認方法等を協議することが望ましいといえます。

７　計算鑑定の活用

特許法１０５条の２等の規定により、計算鑑定の制度が設けられています。知的財産権専門部では、公認会計士からなる鑑定人候補者の名簿を作成しています。損害の算定のために計算鑑定を利用することも考慮して下さい。

（平成１６年４月改訂）

Q48 添付資料②
（東京地裁の審理モデル）

特許権侵害訴訟の審理モデル（侵害論）

第１回口頭弁論期日

原　告	①訴状陳述 ②基本的書証の提出
被　告	①答弁書陳述（被告主張の概要の提示） ②基本的書証の提出

第１回口頭弁論期日においては，原告が訴状を，被告が答弁書をそれぞれ陳述します。答弁書には，対象製品ないし対象方法の特定・構成，構成要件充足性に関する認否反論，無効の抗弁（特許法１０４条の３第１項）の主張等，被告が訴訟において予定している主張全般について，その概要を記載します（詳細な被告の主張は，次回期日以降に敷衍することが予定されています。）。また，原告，被告とも，証拠説明書とともに基本的書証（特許権の登録原簿，特許公報，被告製品の概要を示すパンフレット等）を提出します。

通常は，次回以降，争点整理のため弁論準備手続期日が指定され，裁判長と主任裁判官が受命裁判官に指定されて，弁論準備手続を主宰します。

第１回弁論準備手続期日

被　告	①対象製品ないし対象方法の特定，技術的範囲の属否の主張 ②無効の抗弁の主張

第１回弁論準備手続期日においては，被告が，被告の立場から対象製品ないし対象方法を特定した物件目録を作成し，同目録を前提として，技術的範囲の属否に関する被告の主張を総括的に記載した準備書面を陳述します。また，被告は，無効の抗弁を主張する場合には，公知技術等を入念に調査した上で，これをまとめた準備書面を陳述し，必要な書証を提出します。

第２回弁論準備手続期日

原　告	①技術的範囲の属否に関する被告の主張に対する反論 ②無効の抗弁に対する反論

第２回弁論準備手続期日においては，原告が，技術的範囲の属否に関する被告の主張及び無効の抗弁に対する反論（訂正による対抗主張を含む。）をまとめた準備書面を陳述し，必要な書証を提出します。

第３回弁論準備手続期日

被　告	①技術的範囲の属否に関する原告の主張に対する反論 ②無効の抗弁の主張の補充

第３回弁論準備手続期日においては，被告が，技術的範囲の属否に関する原告の主張・反論や，無効の抗弁に関する原告の反論に対する再反論を記載した準備書面を陳述します。

第４回弁論準備手続期日

原　告	無効の抗弁に対する反論の補充
双　方	技術説明

第４回弁論準備手続期日においては，原告が，無効の抗弁に対する反論を補充する準備書面を陳述します。

この段階で，無効論も含めた侵害論についての当事者双方の基本的な主張，立証が終了していますので，侵害論に関する審理の最終段階として，必要に応じて当事者双方による技術説明会を実施します。

技術説明会は，当事者双方が，それぞれの主張を要約し，口頭で説明する最終プレゼンテーションであり，通常，各当事者に３０分ないし１時間程度の持ち時間を与えて行います。

なお，技術説明会には，専門的知見を補充するため，当事者の意見を聴いた上で，専門委員（民事訴訟法９２条の２以下）を関与させることがあります。また，技術説明会は，口頭弁論期日において実施する場合があります。

第５回弁論準備手続期日

裁判所	損害論の審理への移行の有無の決定，心証開示（又は終結） 〔**非侵害**の場合〕終結・和解勧告 〔**侵害**の場合〕　損害論の審理　→　終結・和解勧告

裁判所は，当事者の技術説明も踏まえて，侵害論についての心証を形成します。

非侵害の心証を得た場合には，弁論準備手続を終結し，口頭弁論期日において弁論を終結して，判決言渡しに至りますが，裁判所の心証を開示した上で和解を勧告し，和解期日が指定される場合もあります。

侵害の心証を得た場合には，弁論準備手続期日において裁判所の心証を開示した上で損害論に関する争点整理手続に入りますが，この段階で和解を勧告し，和解期日が指定される場合もあります。

なお，心証の開示や損害論の審理は，当事者による侵害論に関する主張立証が完了していることを前提としていますので，御注意ください。

特許権侵害訴訟の審理モデル（損害論）

第５回弁論準備手続期日（心証開示後）

※第５回弁論準備手続期日までは特許権侵害訴訟の審理モデル（侵害論）参照

第５回弁論準備手続期日において裁判所が侵害の心証を開示して損害論に関する審理に入った場合，原告において，損害の根拠規定や損害額の主張を整理していただくことになります。訴状のとおりで変更がなければ，その旨を第５回弁論準備手続期日において明らかにしてください。

第６回弁論準備手続期日

原　告	①請求の整理（根拠規定の変更の有無などの検討） ②利益額等の主張
被　告	①原告の損害額の主張に対する認否，反論 ②整理された請求を前提に譲渡数量額等の開示

第６回弁論準備手続期日においては，原告又は被告において，例えば，次のとおり，損害の主張に応じて損害額の認定に必要な数額等（数額や数量をいう。）を主張し，この主張に対して相手方当事者が認否反論します。

特許法１０２条１項に基づく請求の場合

原告において，原告製品の単位数量当たりの売上げ及び売上げから控除すべき経費を主張し，被告において，侵害品の譲渡数量を主張します。

特許法１０２条２項に基づく請求の場合

被告において，侵害品の売上げ（単価，譲渡数量）及び売上げから控除すべき経費等を主張します。

特許法１０２条３項に基づく請求の場合

原告において，実施料率又は単位数量当たりの実施料相当額を主張し，被告において，侵害品の譲渡数量を主張します。

●御留意いただきたい事項

一方当事者が主張した数額等について相手方当事者が争った場合は，裁判所や相手方当事者において，主張に係る数額等の正確性などを検証する必要がありますから，自己の主張した数額等の裏付けとなる資料（損害等の主張がされている期間の売上表など）を主張と共に準備し，提出していただくこととなります。なお，提出書類のうち損害額の立証と無関係な記載（侵害品以外の製品の売上げなど）がされている部分については当該部分をマスキングして提出することも，秘密が記載された部分については閲覧制限の申立て（民事訴訟法９２条１項）をすることもそれぞれ可能です。

一方当事者が主張した数額等及び提出した資料について，相手方当事者から具体的根拠を示して疑問が呈された場合，主張した当事者において，こうした疑問をできるだけ解消し，売上げ等の数額について早期に共通の認識を形成していただくようお願いします（代理人間で，期日間において，任意に原資料の開示を受けるなどしていただくことも考えられます。）。

第７回弁論準備手続期日

原　告	①原告・被告の主張した数額等に基づいた損害額の主張の整理 ②（原告の主張した数額等について争いがあれば）当該数額等の裏付け資料の提出
被　告	①（被告の主張した数額等について争いがあれば）当該数額等の裏付け資料の提出 ②原告の損害額の主張に対する反論及び被告の主張（抗弁）

第７回弁論準備手続期日においては，原告が，原告・被告の主張した数額等に基づき，損害額に関する主張を整理した準備書面を陳述します（期日間における整理の結果，訴状における損害額の主張と異なることとなった場合は，この時までに請求額についての訴えの変更を検討してください。なお，これ以降の段階での訴えの変更は認められないこともあります（民事訴訟法１４３条１項ただし書参照）。）。

これに対し，被告は，原告の主張する損害額についての認否及び反論（推定を覆滅させる事情その他の損害論で主張すべき抗弁の主張を含む。）を記載した準備書面を陳述します。

一方当事者において，損害の認定に必要な資料を任意に提出しない場合には，当該資料について，相手方当事者からの申立てに基づき，書類提出命令（特許法１０５条）を発する場合もあります。

また，提出された資料を前提にしても当事者間に争いが残る場合などには，損害額の算定のため，計算鑑定の申立てを採用することもあり，この場合，当事者は計算鑑定人に対する説明義務を負います（同法１０５条の２）。

第８回弁論準備手続期日

原　告	被告の主張に対する反論及び立証の補充
被　告	原告の反論に対する再反論及び立証の補充

原告は，第７回弁論準備手続において提出された被告の主張に対する反論及び立証の補充を行い，被告は，原告の反論を踏まえて，再反論及び立証の補充を行います。

これを受けて，裁判所は，原則として損害論についての審理を終えることとし，この段階までの主張・立証を基に損害額についての最終的な心証を形成した上で弁論準備手続，弁論を各終結して判決言渡しに至ります。なお，裁判所が心証を開示し，和解を勧告する場合もあります（事案によっては，これより前に和解を勧告することもあります。）。

Q49 知的財産権侵害訴訟における特則

知的財産権侵害訴訟では，一般の民事訴訟と異なり管轄，手続等でいくつか特別な規定があると聞きましたが，具体的にはどのような内容でしょうか。

1 管轄について

知的財産権に関する訴訟は，専門性を有することから，従前から専門部を有する地裁への裁量移送が広く認められていましたが，審理の充実及び迅速化を図るため管轄に関する規定が特別に定められ（平成15年民事訴訟法改正，平成16年４月より施行），平成17年４月に知的財産高等裁判所が設置されるに到っています。

（１）特許権等に関する訴え等の管轄

特許権，実用新案権，回路配置利用権又はプログラムの著作物についての著作者の権利に関する訴え（「特許権等に関する訴え」とされ，意匠権や一般著作権の侵害事件や不正競争防止法違反の事件等の他の知的財産権侵害訴訟と区別されます）については，東日本（東京高裁，名古屋高裁，仙台高裁，札幌高裁の管轄区域内に所在する地方裁判所が管轄権を有しているもの）においては東京地方裁判所，西日本（大阪高裁，広島高裁，福岡高裁，高松高裁の管轄区域内に所在する地方裁判所が管轄権を有しているもの）においては，大阪地方裁判所が専属管轄を持つとされ（民訴６条１項），通常，当該地裁の専門部（簡易裁判所所管事件であっても本庁に訴えが提起できます（民訴６条２項））がその審理を担当します。

これら特許権等に関する訴えについては，大阪地裁の判決に対する控訴事件も東京高裁の専属管轄とされており（民訴６条３項），東京高裁の特別支部であるところの知的財産高裁（知財高裁設置法２条１号）に控訴することとなります。このことは即時抗告等の不服申立手続においても同様です（ただし，大阪地裁への移送決定に対しする即時抗告は，大阪高裁での審理を受け付けています。技術論の特殊性が問題ではない審理の入り口の判断ですし，一旦，知財高裁に即時抗告した後，民訴法20条の２第２項に基づく大阪高裁への再移送もありえるからとされていますが，争いもあるところです）。

そのため，特許権等に関する訴えの訴訟代理人を受任する場合には，このことを予め依頼者に伝えておく必要があるでしょう。交通費や日当の関係でも注意が必要です。

このような関係から，「特許権等に関する訴え」にあたるか否かは，重要な問題となりますが，詳しくは，「知財高裁元年－その１年間の実績の回顧と今後の展望」（塚原朋－知的財産権訴訟の動向と課題－知財高裁１周年－金判増刊1236号６頁）をご参照下さい。注意しなくてはいけないのは，ライセンス契約の解除後の処理について侵害訴訟としての不法行為の請求原因が成り立つ事案だけでなく，通常実施権の許諾や専用実施権設定のような契約案件のような事案も，「特許権等に関する訴え」として管轄違いの問題が生じうる点です（知財高判平成21・1・29判タ1291号286頁）。仮に，専属管轄を有する東京地方裁判所や大阪地方裁判所ではない地方裁判所に誤って契約案件として特許権等に関連する訴訟が係属した場合，管轄が許されるよう移送の手段を検討することも必要になります（知財高決平成28年８月10日裁判所HPは，逆に特許権に関する訴えに当たらないとして，移送決定を取消しています）。

（２）意匠権等に関する訴えの管轄

意匠権，商標権，著作者の権利（プログラムの著作物についての著作者の権利は除く），出版権，著作隣接権もしくは育成者権に関する訴え又は不正競争防止法第２条第１項に規定する不正競争による営業上の利益の侵害に係る訴えについては，民事訴訟法４条・５条により管轄を有する裁判所と，東日本については東京地裁，西日本については大阪地裁との競合管轄となります（民訴６条の２）。

この場合は，控訴審の管轄に特別の定めはなく，大阪地裁の判決に対する控訴は，大阪高裁になります。

（３）専門性への対応

東京地裁，大阪地裁には，知的財産権専門部が設置されており，その専門部には，特許庁より派遣されている調査官を置いています（裁判所法57条）。調査官は，技術的専門性に対処するため裁判に一定の関与（民訴92条の８）を行います。

また，専門的知見に基づく説明を受けるため専門委員の関与（民訴92条の２以下）がなされる場合もあり，専門委員の関与する技術説明会の開催も盛んになっています。

さらに，知財専門部では，専門調停を用意しています。

２　手続について

（１）訴訟手続上の特別規定

知的財産は，占有して管理することはできませんから，第三者が侵害していてもその侵害行為の把握は容易ではありません。また，侵害行為によって被った損害の立証も容易ではありません。

そこで，知的財産権侵害訴訟においては，次のような特別規定が用意されています（損害額の推定等については，Q50をご参照ください）。

①具体的態様の明示義務（特許104条の２等，民訴規則79条３項の特則）
②書類提出命令等（特許105条等，民訴220条乃至223条の特則）
③査証制度（特許105条の２～10）
④計算鑑定人制度（特許105条の２の12等）
⑤相当な損害額認定（特許105条の３等）
⑥秘密保持命令（特許105条の４以下等）
⑦当事者尋問等の公開停止（特許105条の７）

上記①②④⑤⑥については，特許法の規定が，実用新案権法，意匠法，商標法において準用され，不正競争防止法，著作権法にも同種の規定がありますが，③については，特許法のみの規定であり，他法での準用はありません。⑦については，特許法の他，実用新案権法に準用され，不正競争防止法には同種の規定がありますが，意匠法，商標法，著作権法には準用等がありません。

（2）秘密保護について

知的財産権に関する訴訟では営業秘密を取り扱うことが多いので，上記制度の活用には注意を要します。

また，知財事件特有のものではありませんが，秘密保護の関係上，重要なものとして訴訟記録の閲覧謄写等の制限（民訴92条）が挙げられます。営業秘密が記載された証拠や準備書面を提出する際には，制限を求める部分を特定して閲覧等の制限の申立をなすことが必要です。

特に知的財産権侵害訴訟の場合，判決が言い渡された後，裁判所ホームページでweb上に公表されるため，判決後速やかに閲覧等の制限の申立てをしておくことも重要です。

営業秘密が準備書面や証拠の内容に含まれる場合，訴訟遂行の目的外に使用してはならないことを命じる秘密保持命令（特許105条の４）は，営業秘密を取扱う知的財産権侵害訴訟で特に導入された制度で，仮処分事件でも適用されます（最判平成21・1・27液晶テレビ事件民集63巻１号271頁）。弁護士，弁理士等の代理人や補佐人等のみ開示を認めて発令される例が多いものですが，その違反には刑事罰がある強い強制力があること，営業秘密に該当するかどうかについて双方で争いが生じ，発令まで長期化する傾向があること，一旦，発令されると裁判所内部においても，写しを利用せずに準備書面や証拠等を金庫から原本の出し入れを行い，管理の手間が生ずることから，必ずしも広く活用されていません。このため，秘密保持命令の申立を審査する当事者双方との事前協議の際に秘密部分の絞り込みが行われたり，一部黒塗りの証拠の提出で足りるとされたり，争点自体の整理を行って，証拠提出の必要性をなくしたりしています。実際の運用については，「秘密保持命令の運用の実情」（小田真治Ｌ＆Ｔ59号３頁）をご参照ください。

Q50　特許権侵害訴訟における損害賠償

当社の特許権を侵害する製品を製造，販売している業者に対して，侵害製品の製造，販売の差止と損害賠償の請求をしたいと考えているのですが，損害額はどのように算定されるのでしょうか。

１　はじめに

特許権が侵害された場合，特許権者は侵害者に対して，民法709条の不法行為の規定に基づき，自己が被った損害の賠償を請求することができます。

民法709条に基づき損害賠償請求をする場合，原告となる特許権者の側で，①権利侵害，②侵害者の故意・過失，③損害の発生及びその額，④加害行為と損害の間の因果関係の各事実を主張・立証しなければならないのが原則ですが，特許権侵害の事案では，損害額や因果関係の立証が困難な場合が多く，民法709条によるのみでは，権利者の保護が十分に図れないおそれがあります。

そこで，特許法では，損害額の立証の容易化を図るため，特許法102条に損害額の算定に関する特則を設けています。

なお，特許法102条に関しては，令和元年の特許法改正で１項に関し，逸失利益と実施料相当額の重畳的請求を可能とする改正がなされたほか，３項の実施料相当額の算定方法に関する４項が新設されました。また，知的財産高等裁判所においても，特許法102条の解釈に関する以下の計４件の大合議判決がなされており，これらの判決の内容を理解しておくことが重要となります。

［特許法102条の解釈に関する大合議判決］

①　知財高判平成25・２・１判時 2179号36頁（ごみ貯蔵機器事件）
②　知財高判令和元・６・７判時 2430号34頁（二酸化炭素含有粘性組成物事件）
③　知財高判令和２・２・28判時 2464号61頁（美容器事件）
④　知財高判令和４・10・20裁判所ＨＰ（椅子式マッサージ機事件）

２　特許法102条１項に基づく損害額の算定

（１）平成10年改正で導入された特許法102条１項の概要

特許法102条１項は，侵害品の販売によって生じる特許権者の製品の売上減少等による逸失利益を算定するため，平成10年改正によって新設された規定であり，同項に基づく損害額の算定方法は，以下のようなものでした。

ア　侵害品の譲渡数量に，侵害行為がなければ特許権者が販売することができた製品の単位数量当たりの利益の額を乗じて得た額を基礎とする。

イ　上記アの額は，特許権者の実施の能力に応じた額を超えない限度において，損害の額とすることができる。

ウ　侵害品の譲渡数量の全部又は一部に相当する数量を特許権者が販売すること

ができないとする事情があるときは，当該事情に相当する数量に応じた額を控除する。

（２）令和元年改正の経緯及び改正内容

特許法102条１項の新設後，侵害者の譲渡数量のうち，特許権者の「実施の能力」を超える数量又は「販売することができない」数量とされ，同項本文の推定が覆滅された部分について，後述する特許法102条３項が規定する実施料相当額分の賠償が認められるか否かという点が論点となっていましたが，裁判例では否定説を採用するものが趨勢でした。

この点を立法で解決したのが，令和元年の特許法改正であり，改正後の特許法102条１項では，侵害品の譲渡数量のうち，特許権者の実施能力に応じた数量（これを「実施相応数量」といいます。）を越える部分，特許権者が販売することができない事情がある場合の当該事情に相応する数量（これを「特定数量」といいます。）に関し，実施料相当額の請求ができるようになりました（具体的な要件は後述します）。

（３）特許法102条１項１号の解釈

令和元年改正後の特許法102条１項においても，上記の（１）で述べた算出方法で特許権者の逸失利益が算出されますが，（１）の計算式における各要件に関しては，美容器事件判決が以下のとおり，各要件の解釈に関する考え方を示しています。

（ａ）「侵害行為がなければ販売することができた物」

美容器事件判決は，特許権者が「侵害行為がなければ販売することができた物」に関し，「侵害行為によってその販売数量に影響を受ける特許権者等の製品，すなわち，侵害品と市場において競合関係に立つ特許権者等の製品であれば足りると解すべきである。」と判示し，特許権者が特許発明の実施品を販売していることは必須の要件ではないとの考え方を採用しました。

（ｂ）「単位数量当たりの利益の額」

美容器事件判決は，「単位数量当たりの利益の額」とは，「特許権者等の製品の売上高から特許権者等において上記製品を製造販売することによりその製造販売に直接関連して追加的に必要となった経費を控除した額（限界利益の額）」であると判示し，いわゆる限界利益説の立場を採用しました。

また，特許発明を実施した特許権者の製品において，特許発明の特徴部分がその一部分にすぎない場合の取扱いに関しては，「特許権者の製品の販売によって得られる限界利益の全額が特許権者の逸失利益となることが事実上推定される」が，特許発明の「特徴部分の原告製品における位置付け，原告製品が本件特徴部分以外に備えている特徴やその顧客誘引力など」の事情を考慮し，上記の事実上の推定の一部覆滅が認められる場合があると判示しました。

（ｃ）「実施の能力」

美容器事件判決は，特許権者の「実施の能力に応じた額」との要件に関し，「潜在的な能力で足り，生産委託等の方法により，侵害品の販売数量に対応する数量の製品を供給することが可能な場合も実施の能力があるものと解すべき」と判示し，潜在的な能力があればよいという緩やかな基準を採用しました。

（d）「販売することができない事情」

美容器事件判決は，「侵害品の譲渡数量の全部又は一部に相当する数量を特許権者が販売することができないとする事情」に関し，「侵害行為と特許権者等の製品の販売減少との相当因果関係を阻害する事情をいい，例えば，①特許権者と侵害者の業務態様や価格等に相違が存在すること（市場の非同一性），②市場における競合品の存在，③侵害者の営業努力（ブランド力，宣伝広告），④侵害品及び特許権者の製品の性能（機能，デザイン等特許発明以外の特徴）に相違が存在することなどの事情がこれに該当するというべきである。」と判示し，推定を覆滅させる4つの事情を挙げました。

（4）特許法102条1項2号の解釈

上述したとおり，令和元年改正後の特許法102条1項では，侵害品の譲渡数量のうち，実施相応数量を越える部分，及び，特定数量に該当する部分に関し，実施料相当額の請求が可能になりましたが，改正後の特許法102条1項2号では，括弧書きで，「特許権者が…通常実施権の許諾をし得たと認められない場合」には実施料相当額の請求は認められない旨規定しております。

この点，実施相応数量を越える部分に関して，2号に基づく実施料相当額の請求ができることに関しては，学説上も異論はありませんが，特定数量に関し，どのような範囲で実施料相当額の請求が可能であるかに関しては，未だ議論がまとまっていません。

なお，この点に関しては，後述する椅子式マッサージ機事件判決が2項と3項の重畳適用に関する議論の中で一定の判断を示しており，同判決の考え方は1項の場合にも適用可能であると考えられます。

3　特許法102条2項に基づく損害額の算定

（1）規定の内容

特許法102条2項は，「特許権者又は専用実施権者が故意又は過失により自己の特許権又は専用実施権を侵害した者に対しその侵害により自己が受けた損害の賠償を請求する場合において，その者がその侵害の行為により利益を受けているときは，その利益の額は，特許権者又は専用実施権者が受けた損害の額と推定する。」との規定であり，この規定も1項と同様，特許権者の逸失利益の算定に関する特則です。

（2）適用要件

特許法102条2項は，特許権者の製品の売上減少等による逸失利益の損害額を推定するための規定であるため，「自己が受けた損害」があったというために，特許発明の実施をしていなくてはならないのかが論点となっていました。

この点に関し，ごみ貯蔵器事件判決は，「特許法102条２項の適用に当たり，特許権者において，当該特許発明を実施していることを要件とするものではない」と判示していましたが，椅子式マッサージ機事件判決は，この点をさらに具体化し，「特許権者が，侵害品と需要者を共通にする同種の製品であって，市場において，侵害者の侵害行為がなければ輸出又は販売することができたという競合関係にある製品（以下「競合品」という場合がある。）を輸出又は販売していた場合には，当該侵害行為により特許権者の競合品の売上げが減少したものと評価できるから，特許権者に，侵害者による特許権侵害行為がなかったならば利益が得られたであろうという事情が存在するものと解するのが相当である。」と判示し，特許権者が侵害品の競合品の販売等をしている場合には，同項が適用されるとの考え方を示しました。また，同判決は，「競合品」の範囲に関し，侵害品と市場で競合関係にある製品であれば，「特許発明の実施品であることや，特許発明と同様の作用効果を奏することを必ずしも必要とするものではない」とも述べています。

（３）利益の額

特許法102条２項における侵害行為により侵害者が受けた利益の額に関しては，二酸化炭素含有粘性組成物事件判決が，「侵害者の侵害品の売上高から，侵害者において侵害品を製造販売することによりその製造販売に直接関連して追加的に必要となった経費を控除した限界利益の額」であると述べ，いわゆる限界利益説の立場を採用しました。

（４）推定の覆滅

特許法102条２項は，侵害者の利益額を損害額と推定するという大雑把な規定であるため，特許法102条１項の「販売することができない事情」のような規定は設けられていませんが，同項においても，侵害者の側で，侵害者が得た利益の一部又は全部について，特許権者が受けた損害との相当因果関係が欠けることを主張立証した場合には，その限度で推定が覆滅されることになります。

この点，二酸化炭素含有粘性組成物事件判決は，美容器事件判決が特許法102条１項の「販売することができない事情」として挙げた４つの事情（①市場の非同一性，②市場における競合品の存在，③侵害者の営業努力，④侵害品の性能）のほか，特許発明が侵害品の部分のみに実施されている場合を推定覆滅事情として挙げています。

（５）推定覆滅部分に関する特許法102条3項の重畳適用

特許法102条１項の改正の際，特許法102条２項の改正はなされませんでしたが，特許法102条２項において，推定の一部覆滅が認められた場合にも，当該推定覆滅部分に関し，特許法102条３項に基づく実施料相当額の請求ができるのかが問題となっていました。

この点に関し，椅子式マッサージ機事件判決は「特許権者は，自ら特許発明を実施して利益を得ることができると同時に，第三者に対し，特許発明の実施を許諾して利益を得ることができることに鑑みると，侵害者の侵害行為により特許権者が受けた損害は，特許権者が侵害者の侵害行為がなければ自ら販売等をすることができた実施品又は競合品の売上げの減少による逸失利益と実施許諾の機会の喪失による得べかりし利益とを観念し得るものと解される。そうすると，特許法102条２項による推定が覆滅される場合であっても，当該推定覆滅部分について，特許権者が実施許諾をすることができたと認められるときは，同条３項の適用が認められると解すべきである。」と判示し，特許法102条２項の推定覆滅部分に関する３項の重畳適用を肯定しました。

また，この判決では，「実施の能力を超えることを理由とする覆滅事由に係る推定覆滅部分については，特許権者は，特段の事情のない限り，実施許諾をすることができたと認められるのに対し，上記の販売等をすることができないとする事情があることを理由とする覆滅事由に係る推定覆滅部分については，当該事情の事実関係の下において，特許権者が実施許諾をすることができたかどうかを個別的に判断すべきものと解される。」と述べた上で，特許発明が侵害品の部分のみに実施されていることを理由とする覆滅事由に係る推定覆滅部分については３項の重畳適用を否定しましたが，市場の非同一性を理由とする覆滅事由に係る推定覆滅部分については３項の重畳適用を認めました。

なお，この判決では，市場における競合品の存在，侵害者の営業努力，侵害品の性能により推定覆滅が認められた場合の３項重畳適用の可否に関しては判断がなされていないため，この点は今後の積み残しの課題となります。

4　特許法102条３項に基づく損害額の算定

特許法102条３項は，特許権者は，「特許発明の実施に対し受けるべき金銭の額に相当する額」（実施料相当額）を損害額として賠償請求することができる旨を規定しています。３項は特許権が侵害された場合の損害額の最低限度を法定した規定であり，逸失利益の損害額の特則ではないため，特許権者が被告製品の競合品の製造，販売等をしていない場合でも適用が可能です。

特許法102条３項の実施料相当額に関しては，平成10年改正前は「その特許発明の実施に対し通常受けるべき金銭の額に相当する額」と定められていましたが，「通常受けるべき金銭の額」では侵害のし得になってしまうとして，同改正により「通常」の部分が削除されました。また，令和元年の特許法改正で新設された特許法102条４項により，実施料相当額の算定において，特許権侵害の事実，権利者の許諾機会の喪失，侵害者が契約上の制約なく特許権を実施したことといった事情を考慮することができることが明示されました。

また，二酸化炭素含有粘性組成物事件判決は，「特許発明の実施許諾契約においては，技術的範囲への属否や当該特許が無効にされるべきものか否かが明らかではない段階で，被許諾者が最低保証額を支払い，当該特許が無効にされた場合であっても支払済みの実施料の返還を求めることができないなどさまざまな契約上の制約を受けるのが通常である状況の下で事前に実施料率が決定されるのに対し，技術的範囲に属し当該特許が無効にされるべきものとはいえないとして特許権侵害に当たるとされた場合には，侵害者が上記のような契約上の制約を負わない。そして，上記のような特許法改正の経緯に照らせば，同項に基づく損害の算定に当たっては，必ずしも当該特許権についての実施許諾契約における実施料率に基づかなければならない必然性はなく，特許権侵害をした者に対して事後的に定められるべき，実施に対し受けるべき料率は，むしろ，通常の実施料率に比べて自ずと高額になるであろうことを考慮すべきである。」と述べた上で，「実施に対し受けるべき料率は，①当該特許発明の実際の実施許諾契約における実施料率や，それが明らかでない場合には業界における実施料の相場等も考慮に入れつつ，②当該特許発明自体の価値すなわち特許発明の技術内容や重要性，他のものによる代替可能性，③当該特許発明を当該製品に用いた場合の売上げ及び利益への貢献や侵害の態様，④特許権者と侵害者との競業関係や特許権者の営業方針等訴訟に現れた諸事情を総合考慮して，合理的な料率を定めるべきである。」と判示し，実施料相当額は，通常の業界相場よりも高額に設定すべきとの考え方を示しています。

5　まとめ

特許法102条１項～３項のうち，いずれを主張するかは，原告が決すべき事項であり，各々の規定の利害得失を考慮したうえで，原告の側でどの規定を適用するかを選択することができます。また，複数の規定を選択的に主張し，より高い算定がなされた規定を適用してもらうことも可能です。

上述したとおり，特許法102条１項，２項の規定は，原告の製品の売上減少による損害賠償額の算定に関する規定であるため，原告が競合品の販売すらしていない場合には，３項の請求しかできませんが，原告が被告製品の競合品の製造，販売等をしている事案では，いずれの規定を適用することも可能です。

特許法102条１項と２項のいずれを適用するかに関しては，いずれの規定で算定したほうが損害賠償額が高くなりそうか（原告製品の単位数量当たりの利益額と被告製品の単位数量当たりの利益額のいずれが大きいか）との点のほか，原告製品の利益率を開示することに支障がないかを加味して選択する必要があります。

Q51　特許等の無効

顧問先Ａ社は，競業他社Ｂ社から特許権侵害をしているとして裁判所に訴えられましたが，「Ｂ社が根拠にしている特許は出願当時簡単に思いつくもので，無効に違いない」と言っています。侵害訴訟で，進歩性に関する特許の無効をどのように主張したらよいでしょうか。

また，そのための対応として，どのような準備が必要でしょうか。

1　侵害訴訟で特許の無効を主張することの可否について

一旦特許として成立した特許権を対世的に無効にするには，特許庁における無効審決の確定を待たなくてはなりませんが（特許125条），差止請求，損害賠償請求を受ける侵害訴訟の中でも，被疑侵害者との間における相対効の問題として，特許の無効を主張していくことは一般的な防御方法です。請求棄却判決の主な理由も無効の抗弁をとり挙げることが多く，特許権の侵害論での審理は技術的範囲の属否論と無効論とが中心となっています。

最判平成12・4・11民集54巻4号1368頁（キルビー事件判決）以降，「特許に無効理由が存在することが明らかであるときは，その特許権に基づく差止め，損害賠償等の請求は，特段の事情がない限り，権利の濫用に当たり許されない」とされて，いわゆる権利濫用説によって無効論が審理の対象になることを明らかにしました。

この判決を受け，実務上無効な特許に基づく請求を権利濫用により棄却する下級審判決が出始めたところ，平成16年の特許法改正で104条の３が新設され，立法解決に至りました。同条１項の内容は，次のとおりです。

「特許権又は専用実施権の侵害に係る訴訟において，当該特許が特許無効審判により（中略），無効にされるべきものと認められるときは，特許権者又は専用実施権者は，相手方に対しその権利を行使することができない。」

同条は，権利濫用法理に代えて直截に権利行使を許さない法律構成とするとともに，裁判官の心証形成に明白性要件を求めない点，無効理由の範囲に制限を設けていない点などを明らかにし，平成17年４月１日から施行され，特に，本問の進歩性の欠如や記載要件の欠缺を理由にした請求棄却判決が多数現れています。

なお，特許法104条の３第１項及び２項を準用する商標法39条の無効の抗弁に関して，特許法と異なり，商標法の場合，無効審判請求を行える時期的制限が設けられている例があることから（商標47条），当該除斥期間経過後に無効審判請求ができない中でも無効の抗弁を主張できるかという議論がありました。この点，最判平成29・2・28民集 71巻２号221頁（エマックス事件）は，除斥期間経過後の無効の抗弁を否定しましたが，無効の抗弁が主張できない場合も権利濫用の抗弁が成り立つ場合があること（この事案では，除斥期間が経過した商標法４条１項10号の無効理由がある場合に出願前周知商標の保有者に対する権利行使が権利濫用にあたると判断されています）を明らかにしました。

2 進歩性の判断のための準備

進歩性欠如を主張するためには，相応の準備が必要となります。

進歩性とは，出願時に，その発明の属する技術分野の通常の知識を有する者（実務上，「当業者」と称します）が容易に発明を考えつくことができないこととされます（特許29条2項）。言い換えますと，出願時において同一技術でないとしても（同一技術なら新規性が欠如します），出願時に当業者が容易に想い到ることができる（実務上，「容易想到性」等と称されます）のであれば，その発明を特定の者に独占させることが不当であると判断されることになります。

進歩性の判断は，公知技術の調査が必須であり，調査能力の差が訴訟の帰趨を決するといっても過言ではありません。公知技術の調査の例としては，特許庁における登録までの調査結果の確認（出願人が関連すると考えた先行技術文献情報は発明の詳細な説明欄に記載されますし（特許36条4項2号），審査官が特許性の審査で直接の対比の対象とした公知技術は特許公報に参考文献として記載されます），各国関連出願における調査記録の確認，無効審判請求事件等の関連事件で検討された公知技術の確認，依頼者及び弁理士からの丁寧な先行技術の確認作業が重要です。特許権者と競業者である依頼者にあっては，通常，当該技術分野の先行技術（公報にとどまらず，学術文献，実際の製品等を含む）や，当該市場・技術分野で技術の発展を正に当業者として把握してきているのが通常です。また，弁理士は，依頼者の具体的な製品に関して，継続的に出願を行ってきた専門家ですので，第三者の特許権の侵害の疑義がある場合，依頼者の製品のための他の出願の際の調査や特許庁との応答の中で，当該特許権の属する技術分野における無効等の資料を数多く把握しているのが通常です。代理人となろうとする弁護士にあっては，これらの依頼者や弁理士からの丁寧な聞き取りと技術的な理解が重要です。

なお，これらを越えて，弁護士が独自に調査を行おうとする場合は，経験と特有のノウハウが必要となりますが，通常，そこまでの技能は知的財産権侵害訴訟の代理人に求められていない場合が多いといえます。ただし，各国特許庁が国際条約に基づいてリーガルソースをインターネットで開示する運営が続いている中，また，知財関連及び科学学術誌等のデータベースや検索ソフトが発達してきた中，弁護士としても証拠収集にも力を尽くすべきです。

3 進歩性の判断手法

設問にあるように，「相手方の特許は出願当時簡単に思いつくもので，無効に違いない」と依頼者が訴えるケースは，実務上も少なくありません。

しかしながら，公知技術等について技術的知見が深い依頼者であっても，特許法として特許権が無効になるかの判断を誤ることも多く，専門家としての独立した判断が必要です。

その場合，どの公知技術を根拠に依頼者が無効と考えているのか，本当に依頼者が主張する技術内容が指摘する文献から読み取れるのか，公知技術を組み合わせる論理付けが合理的なもので，論理の飛躍がないかを慎重に検討する必要があります。場合によっては，依頼者が示した以外に効果的な公知技術がないか，当該技術分野の技術常識，具体的な先行出願，先行文献等を網羅的に洗い出し，総合的な判断を示す必要まであります。なお，これら先行技術の確認作業，及び追加調査に自ら関与するのは，副次的に当該技術分野での技術常識を弁護士が早い段階で取得するとともに，無効を主張すべき特許発明の特徴を把握することができるようになりますので，素人調査であっても，まずやってみるのが大事です。実際，特許権の侵害訴訟に携わろうとする弁護士は，サーチ経験やデータベースの性能によることが多い先行技術の調査能力は別としても，特許発明の特徴を技術的思想として把握する能力には長けていることが重要な資質です。意外に思われるかもしれませんが，一般的な技術的知識より（理解力とその意欲は重要ですが），対象となるべき特許の明細書を丹念に読み込んでいる侵害訴訟を担当する弁護士の方が特許発明の特徴を把握する能力に優れていることも多く，結果的に有力な証拠を発見することもあります。

進歩性欠如の主張をするにあたっては，調査した先行技術の内，対象特許とできるだけ課題，技術分野が近い引用発明を開示する文献を選択します。当該文献より対象特許発明の構成と対応すべき技術的な要素を抽出し，これを主引用発明としてまとめます。当該作業は，侵害論において具体的な製品・方法から対比すべき被疑侵害物品・方法の構成を抽出する作業と似ていますが，文献から希望的な観測で読み込める範囲を広げすぎないように注意することが肝要です。

その上で，対象特許発明との異同を客観的に比較し，一致点とすべきところ（侵害論の判断と同じく，特許発明の構成より下位概念である場合は一致しており，上位概念で一致する場合は，別途，相違点があることを忘れてはいけません），相違点とすべきところを全て抽出します。主引用発明と相違する発明の新規な構成については，他の文献や周知技術から抽出した対応すべき技術的事項を確認し，主引用発明に採用することが，合理的に論理づけとして説明できるかを検討します。そして，その論理づけができれば進歩性欠如の無効論を主張できるというのが典型的な進歩性に関する無効論です。

論理付けとして説得的な議論を行うにあたっては，対象特許の課題や解決の効果に直接関係すべき相違点については，当該他の文献等に記載された技術的事項を主引用発明に適用したであろうことを，単なる技術的な可能性の議論でなく，積極的な示唆や動機付けと主張できるだけの客観的な根拠があるか，その適用を阻害する要素がないか，簡単そうに見えても予想外の効果がないかといった多様な観点から慎重にロジックが構築できているかを再検証することが重要です。

なお，技術には思わぬ転用もあるため，効果的な公知技術は離れた技術分野で見つかる可能性もありますが，その場合は，転用に関する論理付けが必要であり，一般的に同一技術分野における先行技術からの論証より転用に関する高度な動機付けの論証が必要となる特徴があります。

注意しなければいけないのは，侵害者側としては，どうしても対象特許を無効と主張したいために，対象特許の相違点に関する技術的意義を過小に評価したり，証拠の評価が甘くなったり，論理付けに論理の飛躍が生じやすい傾向があり，対象とすべき特許発明の内容を知ったから可能な後付けの議論が多くなりがちなことです。

特許発明の構成をとる場合，思わぬ予想外の効果が発生するといった技術的意義がある場合，論理付けの成立を阻害する要因があると評価される場合もありますので，慎重かつ適正な判断が専門家として必要とされます。

一旦，特許庁が特許と認めた発明の特許を進歩性の観点から無効にするには，被告の側に立証責任があることを忘れないようにして，どうしても判断が甘くなる傾向のある依頼者の判断を慎重にさせる注意も必要です。

ともあれ，進歩性が問題となる寄せ集めの発明，置換・転用発明（公知技術を他の技術分野に転用したり，公知技術のある部分を他の公知技術によって置き換えるなどした発明），用途発明（新規な属性を発見した公知技術の用途を変更しあるいは限定して構成された発明）等いくつかの類型に即して，調査した公知技術を構成し，進歩性の欠如を主張することとなります。

なお，公知技術の調査に限界がない中で，どうしても有力な先行技術の発見が遅くなることもありますが，無効の抗弁の主張が遅すぎると，不当遅延目的の攻撃防御方法として（特許104条の３第２項），または時機に後れた攻撃防御方法として（民訴157条）却下されてしまう可能性があることも注意すべきでしょう。

Q52　無効審判と審決取消訴訟

当社は特許権を侵害しているとして訴えられましたが，特許を無効にするための手続があると聞きました。どのような手続なのか，具体的に教えてください。

1　はじめに

特許権侵害訴訟を提起された場合において，対象特許に無効理由があると考えられるときは，被疑侵害者は，侵害訴訟において無効理由を主張することによって特許権者等の権利行使は許されないとの抗弁を提出することができます（特許104条の3第1項）。他方，被疑侵害者が対象特許を対世的にも無効にしたいと考えた場合には，特許庁に対して無効審判請求をする必要があります（特許123条，125条）。被疑侵害者が侵害訴訟を進めていく上で，無効審判請求は必須の手続きではありませんが，無効理由の内容，コスト，和解の可能性も含めた訴訟戦略を踏まえた上で，無効審判請求の要否を検討する必要があります。

また，無効審判における特許庁の判断（審決）に対しては，審決の取消を求めて裁判所に訴えを提起することができます（特許178条）。これが審決取消訴訟で，行政不服審査法の適用が制限される中（特許195条の4），行政処分である審決の取消を特許権者を相手方として求める行政事件訴訟の実質抗告訴訟の特則となります。

なお，特許公報発行後6ヶ月の間は，無効審判のほか，特許異議申立手続を行うことも可能であり（特許113条），登録の直後に侵害訴訟を提起されたような事案では利用が可能です。異議申立手続は，書面審査であることもあり，平均審理期間も短く，交渉段階等で検討に値する手続です。ただし，特許異議申立においては，比較的短期の公知技術の調査しかできていない段階の申立であることもあり，統計的に無効審判の無効率より取消率が低く，かつ，特許維持決定に対して異議申立人が不服申立や審決取消訴訟の提起ができないこともあるため（特許114条5項，178条），最初から無効審判請求した方がよいかについても，慎重な検討が必要です。

以下では，無効審判と審決取消訴訟を中心に，手続の概要を紹介したうえで，実務上留意すべきポイントを説明します。

2　無効審判

（1）無効審判とは

設定登録により発生した特許権について瑕疵があったことが判明した場合，引き続きその存続を認めると特許権者が瑕疵のある特許権によって発明の実施を独占して不当な利益を得ることになってしまいます。他方，第三者は当該特許権の存在によって発明の実施を妨げられ，その結果，産業の発達が妨げられるといった弊害が生じます。特許無効審判は，このような瑕疵ある特許権を登録後に対世的に無効とするための審判制度です。

（２）手続の概要

（ａ）請求人適格

特許無効審判は，原則，利害関係人だけが請求することができます。侵害訴訟で被告とされた者は典型的な利害関係人です。ただし，共同出願違反（特許38条，123条１項２号）又は冒認（特許123条１項６号）を無効理由とする場合には，利害関係人の中でも特許を受ける権利を有する者に限って請求することができます（特許123条２項）。

（ｂ）無効理由

特許無効審決を導きうる無効理由は，特許法123条１項各号に定められています。実務上，比較的多く主張される無効理由は，特許法123条１項２号関連の特許法29条（主として新規性・進歩性要件）違反，４号関連の特許法36条（主として記載要件）違反です。

（ｃ）手続の流れ

特許無効審判手続の流れについては，特許庁作成の審判便覧（51－03の図１－１及び図１－２）において分かりやすい基本フロー図が公表されています。この基本フロー図を本稿末尾に添付しておきますので，ご参考下さい。実際の侵害訴訟との同時係属事件の場合，当該特許庁の手続と対比しながら，訴訟戦略を検討します。

例えば，侵害者側が無効審判請求した場合も，権利者側には，これに反論するだけでなく，訂正請求をする機会が与えられますので（特許134条の２），侵害訴訟係属後に権利者が主張するクレームが変動しうる点（従前のクレームのまま，侵害主張が構築される場合もあれば，訂正の再抗弁として，訂正請求が確定する前から，訂正後のクレームに基づく侵害主張がなされる場合もあります）には，弁護士として注意が必要です。

また，平成23年改正により，審判官に特許が無効であると心証を抱かせた最終の局面でも，その審理終結通知の前に権利者側に審決予告（特許164条の２第１項）する手続が必要であり，権利者側に再度の訂正の機会が与えられます（特許134条の２第１項）。審判官がこのままでは無効審決すると詳細な理由をつけて予告する内容ですので，多くの場合，訂正請求があるわけですが，無効審判請求人側としては，その直後に再度の無効理由の主張・立証の補充，拡張等に追われるという特殊性があります。

（ｄ）手続の基本的構造

（ア）民事訴訟類似の手続構造

無効審判手続は，民事訴訟類似の当事者対立構造を採用し，実際にも民事訴訟法の規定を多数準用しています（特許151条）。通常，審判体は３名の審判官の合議体として構成されます。また，民事訴訟類似の規定として，被請求人による答弁書の提出手続（特許134条１項），口頭審理における期日調書の作成（特許147条１項），証拠調べ及び証拠保全（特許150条），審理の併合又は分離（特許154条）等の手続規定が設けられています。

審理方式については口頭審理によるものとされており（特許145条１項本文），審理は公開の審判廷で行われますが（特許145条５項），令和３年の特許法改正で，ウェブ会議システムにより，口頭審理期日における手続を行うオンライン口頭審理も認められるようになりました（特許145条６項）。

無効審判の審理においては，審判請求人からの審判請求書，被請求人から答弁書が提出され，審判体が事案の把握を十分にした後，口頭審理の期日が指定されます。また，口頭審理の期日は原則１回のみであり，期日前に，審判体から提示される審理事項通知の内容を踏まえ，陳述要領書を提出する必要があります。

（イ）職権進行主義と職権探知主義

上記（ア）のとおり当事者対立構造を採るも，審判手続進行については職権進行主義が妥当し，実体的審理についても職権探知主義が妥当しています。すなわち，審判長は，当事者等が手続をせず又は期日に出頭しない場合でも審判手続を進めることができます（特許152条）。また，審判体は証拠調べ及び証拠保全を職権によって行うことができますし（特許150条１項），当事者の自白にも拘束力はありません（特許151条）。さらに，当事者等が申し立てない「理由」についても審理することができます（特許153条１項）。

特許無効審判制度で職権主義が妥当する趣旨は，特許権の有効性は無効審判手続の当事者にとどまらず，広く第三者に影響を及ぼすことから，そのような公益的観点を審理に及ぼそうとすることにあります。ただし，職権主義にも一定の限界があります。例えば，審理においては請求人が申し立てない「請求の趣旨」については審理することができませんし（特許153条３項），請求人が申し立てない理由について審理したときは，審理結果を当事者等に通知して意見を申し立てる機会を与える必要があります（特許153条１及び２項）。

なお，審判官が職権探知により，請求人が申し立てていない理由についても審理を行う権限があっても，他方で無効審判請求事件の促進の要請もあり，特許庁の実際の運用にあっては，無効審判請求当初の理由の変更（無効主張の条項の変更，同じ条項であっても，理由の変更，主引用発明とする文献の追加等は全て理由の変更と扱われます）については，審判請求の要旨を変更するものとして（特許131条の２），原則，受け付けてもらえません。言い換えると，審判官の職権探知権限の発動を期待しても，追加主張が受け付けられないことも多く，有力な公知技術を発見した場合は，別途，無効審判請求を提起することも検討対象となる次第です。

（３）実務上留意すべきポイント

被疑侵害者としては，特許権侵害訴訟を提起された直後から（或いは，特許権侵害警告を受けた直後から），速やかに対象特許の無効理由の抽出作業に全力で取り組むことが重要です。そのうえで，実務上は，新規性要件・進歩性要件・記載要件に違反するとの立論を構築したうえで，訴訟提起後の早い段階で無効審判請求を行うことも視野にいれつつ，当該無効理由を訴訟で主張して特許法104条の３第１項所定の抗弁を提出することになります。

実務上留意すべき他の事項としては，無効審判では審判請求書記載の無効理由の変更・追加は厳格に制限されているため（特許131条の２），審判請求書作成段階から網羅的に無効理由を的確に整理・記載することが必要な点です。特許権侵害訴訟で無効理由の変更・追加は時機に後れない限り許容される点とは異なるので注意が必要です。また，公然実施，冒認，共同出願違反等，実際の事実関係が問題になる無効理由については，特許庁よりも裁判所における審理を選択したほうが得策である場合もあります。すなわち，証人尋問等の証拠調べを伴った，また，通常の経験則によって細かい事実認定を行うことを必要とする論点は，裁判所における審理に馴染みやすいことから，このような場合には特許庁での審理を選択すべきか否かを慎重に検討する必要があるでしょう。

さらに，当事者が書面提出後に争点について実質的に審理する手続として口頭審理で陳述要領書の事前提出が求められ，口頭審理の場でも審判体が当事者に対して積極的かつ具体的な質問が行われ，当事者としてこれに対応せざるをえないなど，密度の濃い審理が行われますので，十分な準備が必要となります。この口頭審理については，特許庁が「口頭審理実務ガイド」を作成・公表していますので参考にして下さい。

3　審決取消訴訟

（１）審決取消訴訟とは

審決取消訴訟とは，特許庁の審決の取消を求める行政訴訟です。本稿に即していえば，無効審判請求事件における無効または請求不成立との審決に不服のある当事者が知的財産高等裁判所に対して取消訴訟を提起することになります（特許178条１頁）。審決取消訴訟は，特許庁の行政処分たる審決の取消を求める手続として，特許要件という実体法が主眼となる侵害訴訟における無効の抗弁の審理と異なり，行政訴訟としての特殊性が加わりますので，その手続についての検討が必須となります。

（２）手続の概要

（ａ）審決取消理由

審決取消訴訟においては，審決の違法性一般が訴訟物となります。実務上は，審決の違法性を基礎付けるために，当該審決の結論に影響を及ぼす判断（事実認定及び法律解釈等の判断）の誤りを精緻に主張立証する必要があります。

この審決の理由の誤りの指摘は，誤りがあっても，それが重要な誤りなのか，他の理由で結論が変わらないとの蓋然性があるか，ないかで最終の取扱いは変わりますが（審決取消事由は，特許法181条により，裁判所が「当該請求を理由があると認めるとき」として，裁判所の裁量に委ねる包括的な規定です），行政処分を支える理由の誤りとして，取消事由になりえます。このため，審決に不服のある当事者は，審決の写しを訴状に別紙として添付して主張内容とした上で，主張レベルでの審決の理由の認否を詳細に行うことが求められます。このため，審決取消訴訟を提起する原告には，特許要件に関する実体法上での主張立証責任と異なる審決取消事由の指摘責任が及ぶ特殊性があります。

（b）手続の流れ

審決取消訴訟の流れについては，特許庁作成の審判便覧（51－03の図5）において分かりやすい基本フロー図が公表されています。この基本フロー図を本稿末尾に添付しておきますので，ご参考下さい。また，知的財産高等裁判所のホームページにも，審決取消訴訟の手続の流れや，書面の提出方法や雛形等に関する有用な情報が公表されています。

（c）手続の基本的構造

審決取消訴訟は行政訴訟であることから，行政事件訴訟法が適用されていますが，特別規定として特許法178条乃至184条が規定されています。また，行政事件訴訟法に定めがない事項については民事訴訟法が適用されます（行政事件訴訟法7条）。

（3）実務上留意すべきポイント

審決取消訴訟においては，訴訟提起後（訴訟提起時は，通常，詳細な取消事由については，追って主張とします）に原告が具体的な取消理由を記載する第1準備書面の作成作業が極めて重要です。第1準備書面での取消理由の主張内容が訴訟の帰趨を左右するといっても過言ではありません。例えば，特許庁の進歩性判断の誤りを指摘する場面では，進歩性判断過程において特許庁が如何なる点について判断を誤ったのか（例：対象発明と引用発明の一致点・相違点の認定の誤りか，或いは，相違点についての容易想到性判断の誤りか）を具体的に特定するとともに，当該認定判断が如何なる根拠で誤りといえるかを説得的に論証する必要があります。高部眞規子著「実務詳説 特許関係訴訟〔第4版〕」（きんざい，2022年）等には，取消理由の主張のあり方等について，詳しい説明がされていますので，参考にして下さい。

審決取消訴訟においては，弁論準備手続が数回開催された後に，当事者の主張立証内容を確認するために技術説明会が行われることがあります。近時，この技術説明会には専門委員が関与することも少なくありません。この技術説明会についても，入念な準備を行う必要があります。

なお，平成23年改正法により，紛争の目的解決のため侵害訴訟の判決の確定後は，無効審判請求の判断が変動しても，再審事由にならないことが定められましたので（特許104条の4），特許侵害訴訟において権利者側が勝訴となった後から特許を無効にする審決が確定しても，侵害者側には，再審を請求して支払済みの損害賠償金の不当利得返還請求を求める等の事後的救済を受けられなくなっているので注意が必要です。

出典：特許庁作成「審判便覧」51-03

Q52 添付資料

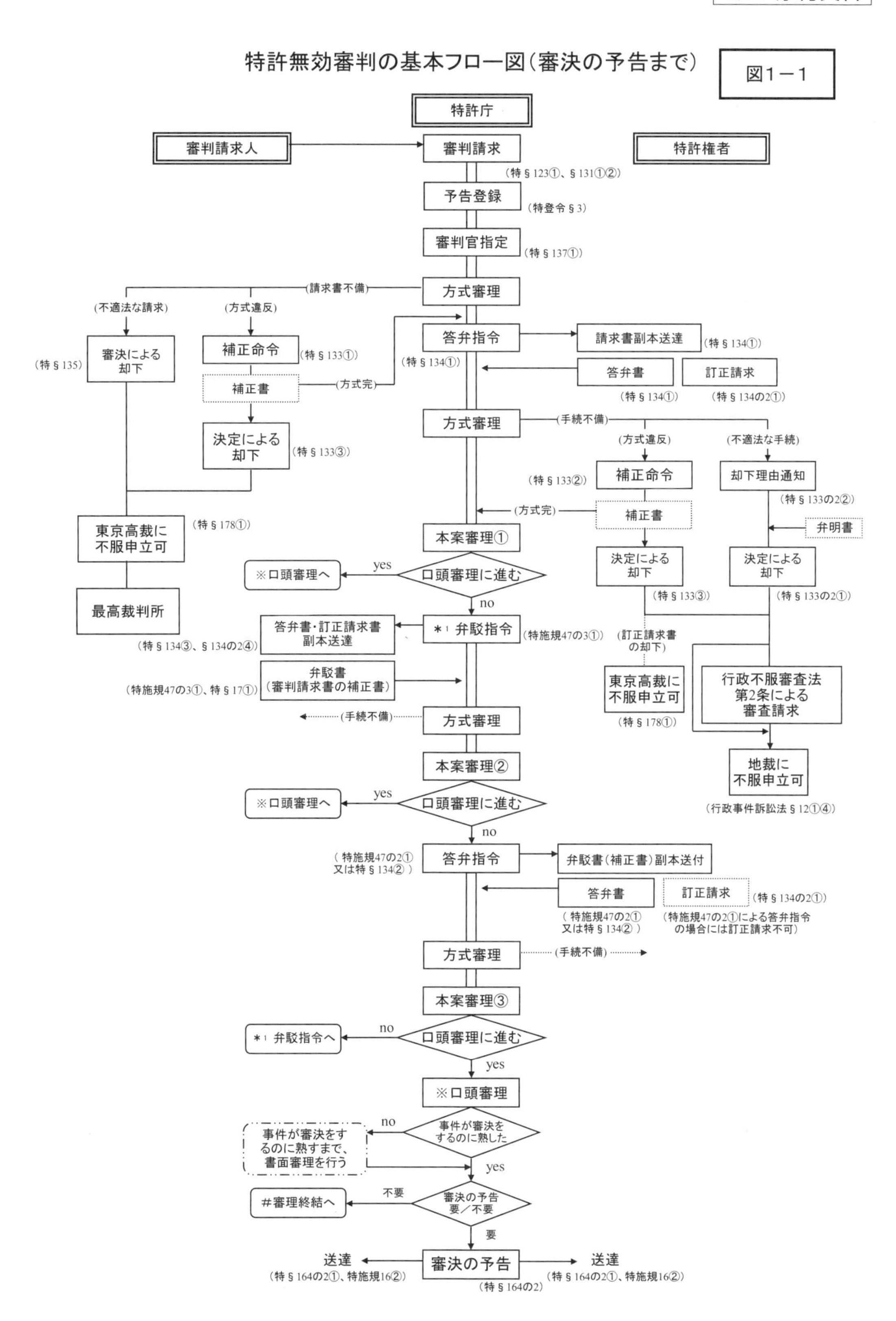

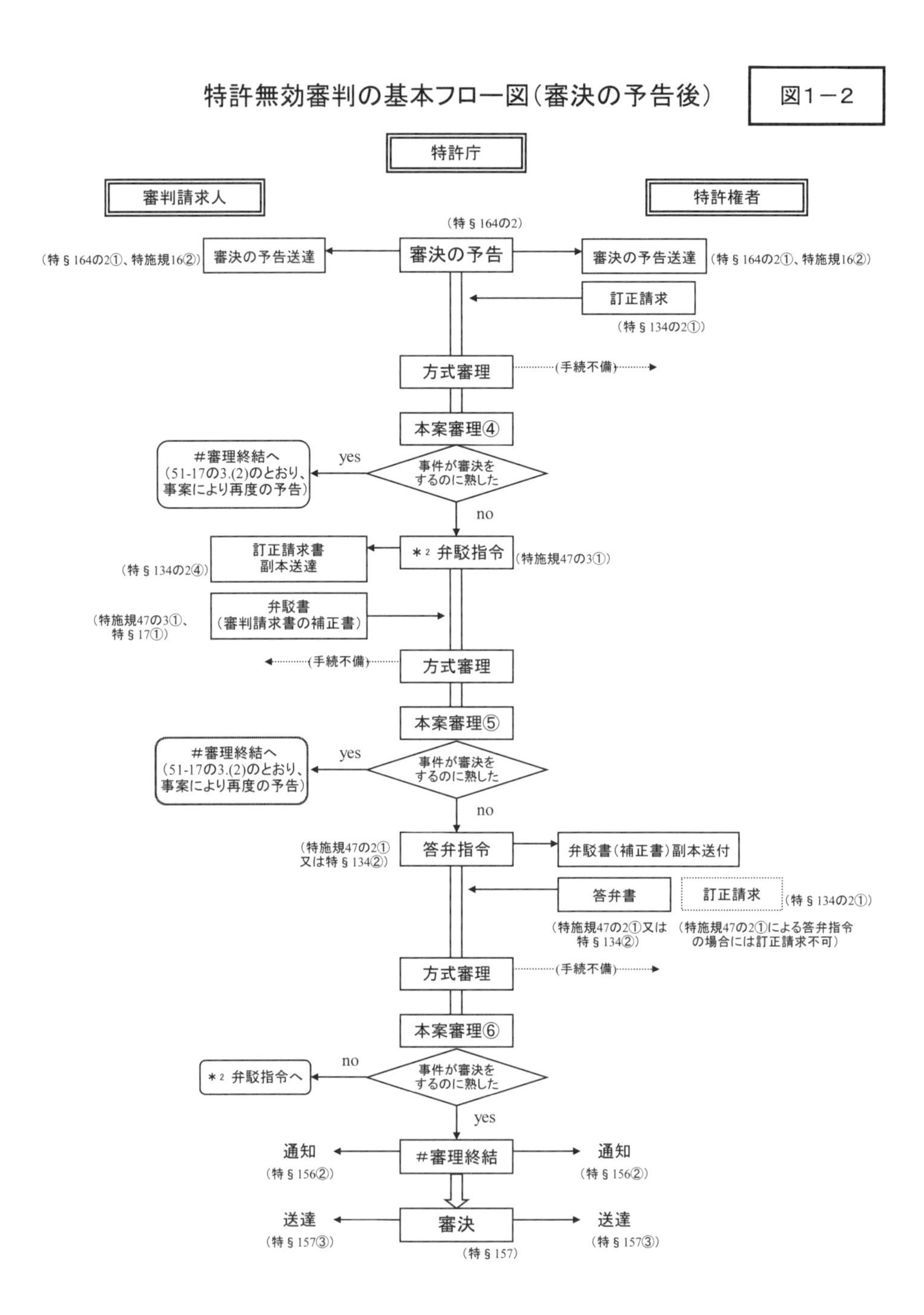
特許無効審判の基本フロー図（審決の予告後）
図1－2
特許庁
審判請求人
特許権者
（特§164の2）
審決の予告
（特§164の2①、特施規16②）
審決の予告送達
審決の予告送達
（特§164の2①、特施規16②）
訂正請求
（特§134の2①）
方式審理
（手続不備）
本案審理④
#審理終結へ
（51-17の3.(2)のとおり、
事案により再度の予告）
yes
事件が審決を
するのに熟した
no
訂正請求書
副本送達
（特§134の2④）
*2 弁駁指令
（特施規47の3①）
弁駁書
（審判請求書の補正書）
（特施規47の3①、
特§17①）
（手続不備）
方式審理
本案審理⑤
#審理終結へ
（51-17の3.(2)のとおり、
事案により再度の予告）
yes
事件が審決を
するのに熟した
no
（特施規47の2①
又は特§134②）
答弁指令
弁駁書（補正書）副本送付
答弁書
訂正請求
（特§134の2①）
（特施規47の2①又は
特§134②）
（特施規47の2①による答弁指令
の場合には訂正請求不可）
方式審理
（手続不備）
本案審理⑥
*2 弁駁指令へ
no
事件が審決を
するのに熟した
yes
通知
（特§156②）
#審理終結
通知
（特§156②）
送達
（特§157③）
審決
（特§157）
送達
（特§157③）

図5

審決後の基本フロー図

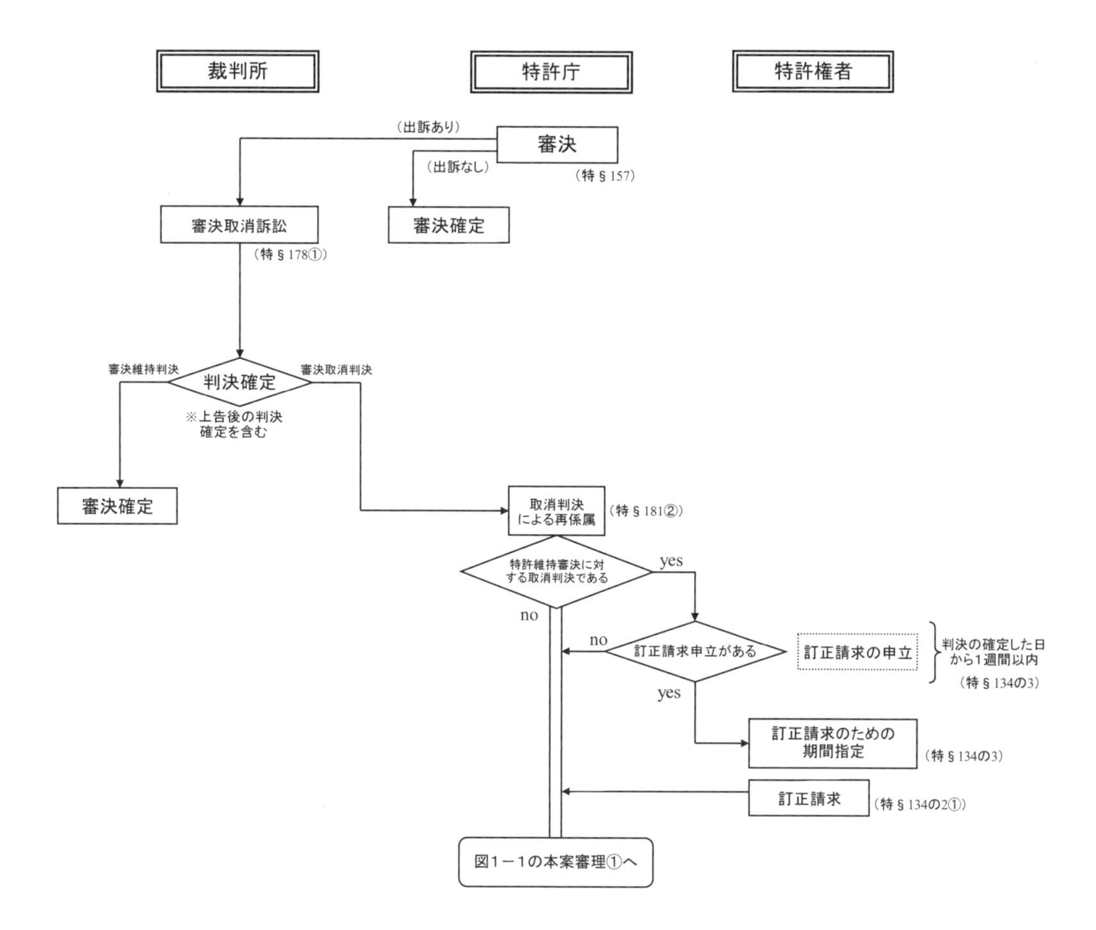

Q53　訂正審判と訂正請求

当社は特許権者として侵害者に対して法的手続を取りましたが，相手方からの反論により権利を無効にされそうになっています。このような場合に権利者が取り得る対抗手段として，どのような方法があるのでしょうか。

1　訂正審判と訂正請求

特許権者としては，訂正審判（特許126条）又は訂正請求（特許134条の２）を通じて，無効にされそうな特許の明細書，特許請求の範囲又は図面（以下「明細書等」といいます）を訂正して，無効事由（特許123条１項）を解消し，相手方の無効主張に対抗することが考えられます。

（１）訂正制度の意義と種類

訂正制度は，無効審判とは独立した審判手続である「訂正審判」（特許126条）と，無効審判の手続内で行われる「訂正請求」（特許134条の２）からなり，特許権者が，特許庁長官に対し，特許権の設定登録後に，その出願時に遡って明細書等を訂正することを求める制度で（特許128条），登録査定前における明細書等の補正（特許17条の２）に対応するものです。

特許権は，その設定登録とともに排他的独占権として対第三者効が生ずるため（特許68条・100条），その権利内容を公示する明細書等の事後的変更を自由に認めることはできません。しかし，特許の権利範囲を狭くすれば無効事由が解消される場合などにも全く変更を認めず，特許全体を無効としてしまうのは，真に新規で有為な発明を開示した特許権者に対して酷です。このため，訂正制度は，公示を信頼する第三者に不測の損害を与えない範囲で特許権者に明細書等の事後的な訂正を行う機会を与えることにより，両者の利益バランスを図っています。

（２）訂正の実体的要件

まず，訂正の目的は，①特許請求の範囲の減縮，②誤記又は誤訳の訂正，③明瞭でない記載の釈明，④引用形式請求項を独立形式請求項に変える等の目的に限られます（特許126条１項但書・134条の２第１項但書）。また，訂正により明細書等に新規事項を追加したり，実質上特許請求の範囲を拡張し又は変更することは許されません（特許126条５項・６項・134条の２第９項）。したがって，権利内容に実質的変動をもたらすような訂正は，原則として，権利範囲を減縮する場合（上記①）に限られているといえます。

そして，上記①又は②の訂正後の発明は，更に，特許法49条に規定される拒絶理由がなく，独立して特許を受けることができるものでなければなりません（独立特許要件・特許126条７項）。これは，訂正後の発明については審査手続を経ていないため，訂正の過程で改めて拒絶理由があるか否かを改めて最初から審査するという趣旨です。なお，無効審判の手続内で行われる訂正請求では，無効審判が申し立てられている請求項の訂正に独立特許要件が要求されていませんが（特許134条の２第９項第２文），これは無効審判において無効審判請求に係る特許要件が審理されるからであり，訂正後の請求項について他の特許要件が不要となるわけではなく，職権により審査の対象に置くことが稀にあります（特許134条の２第５項）。なお，無効審判請求の対象でない請求項についての訂正請求が同時にある場合，訂正審判と同様，独立特許要件が審査されます。

（３）訂正の手続的要件

前記のとおり，訂正の可否は特許の有効性にも影響するところ，仮に，無効審判と訂正の手続が個別に進行して無効審判の途中に訂正を認める審決が確定すると，その効果が出願時に遡って生ずるので，それまでの有効性に関する審理が無駄になります。また，訂正は無効審決確定後には認められませんから（特許126条８項・134条の２第９項），訂正審判の途中に無効審決が確定してしまうと，係属中の訂正審判の適法性が問題となります。

このため，平成23年改正法施行後は，特許異議または無効審判が特許庁に係属した後は，それが確定するまで（審決取消訴訟継続中も含む），独立して進行する訂正審判請求ができず（特許126条２項），特許権者の訂正の機会は，特許庁で無効審判係属中の訂正請求だけとなります。このため，平成23年改正法は，審判官が特許無効と心証をもった場合，審決予告を行うものとし（特許164条の２第１項），訂正請求の機会が与えられます（特許164条の２第２項）。その他，請求不成立審決が審決取消訴訟で取消され，これが確定して無効審判手続が再開された場合，１週間以内は訂正請求の機会が与えられます（特許134条の３）。

訂正請求における訂正の可否に関する判断は，無効審判の審決中で請求項ごとに示され，「訂正を認める，無効審判請求は成り立たない」旨の判断は，請求不成立の審決が出た段階で訂正自体は確定しますので，他の請求項に関する判断が不服で審決取消訴訟を提起しても，無効審判で訂正の結論が確定するという特徴があります（「訂正を認める，無効とする」旨の審決の場合，無効判断が確定するまで訂正の効果は発生せず，無効が確定すれば，最初から当該請求項が存在しないことになります）。

2　侵害訴訟における訂正の再抗弁

侵害訴訟において，特許権者が，相手方の権利行使制限の抗弁（特許104条の３第１項）に対する訂正の再抗弁として，訂正により無効事由が解消されたと主張し，請求認容判決を得るためには，①特許権者が，適法な訂正請求又は訂正審判請求を行い，②その訂正により無効事由が解消され，かつ，③被疑侵害製品・方法が訂正後の特許請求の範囲にも属するものであることを主張・立証することが必要です（知財高判平成21・8・25シンギュレーションシステム装置事件判時2059号125頁参照）。

したがって，特許権者としては，相手方による無効審判が係属している場合は無効審判手続内での訂正請求を，そうでない場合には訂正審判の請求を，特許庁に対して実際に行った上で，その訂正内容に基づいて侵害訴訟内で上記①～③を主張・立証していくことになります。

そして，裁判所は，訂正前の特許が無効であり，訂正後も無効事由が解消しない場合には，相手方の権利行使制限の抗弁の成立を認め，請求棄却の判決を行います。これに対し，訂正により無効事由が解消する場合には，被疑侵害製品・方法が訂正後の特許請求の範囲に属するかどうかを更に審理し，属するときは特許権者の訂正の再抗弁の成立を認めて請求認容の判決を，属しないときは再抗弁の不成立により請求棄却の判決を行います。

なお，裁判所は，必要があると認めるときは，審決が確定するまでその訴訟手続を中止することができます（特許168条２項）。どのような場合に中止するかについて，各裁判体の訴訟指揮に委ねられていますが，事案に応じて，判断の不統一や二重審理の回避，訂正による無効事由の解消可能性などを考慮して決められています。もっとも，特許権侵害訴訟の控訴審及び審決取消訴訟の第一審は，いずれも知財高裁の専属管轄であるところ（民訴６条３項・特許178条１項），仮に，特許侵害訴訟の第一審裁判所が訴訟の迅速な審理を優先して無効審判や訂正審判の結論を待たずに特許の有効性や訂止の可否について判断を示し，それが特許庁の審決と相違した場合でも，現在の知財高裁における運用では，特許権侵害訴訟とその対象特許に関する審決取消訴訟は同一部で処理するのが原則とされていますから，最終的には同高裁で判断の統一が図られます。このため，無効審判や訂正審判が係属しても，実際に第一審裁判所が訴訟手続を中止した例は稀です。

なお，平成23年改正法により，例えば，侵害訴訟で原告勝訴の判決が確定しており，その後に特許を無効とする判断が確定し，侵害訴訟の判決の基礎である特許という行政処分が変更されたとしても（民訴338条１項８号参照），当該再審事由を主張して，支払った損害賠償金の不当利得返還請求することができなくなりましたので（特許104条の４），侵害訴訟における無効の抗弁等の判断は，より決定的になっています。

Q54 知的財産権に関する事件処理の手段

知的財産権に関する事件が生じた場合，その解決手段としてはどのような手続をとることができるのでしょうか。それぞれの手続の長所，短所などをお教え下さい。

1 訴訟

知的財産権に関する事件では，警告書のやり取りや事前交渉が先行するのが一般的ですが，交渉が決裂した場合，その解決手段としてやはり多いのが本案訴訟であることは通常の一般民事事件と同様です。この点，いわゆる知的財産権侵害訴訟の場合，管轄につき特則があり，あるいは計画審理が行われるなどの特色もあります。詳細はQ47乃至49に譲ります。

なお，本案訴訟の途中で和解が成立する率も相当高いとされています。

長所は，慎重かつ適正な審理を受けられること，短所は，紛争解決が短期になったとはいえ，解決までに時間を要することにあるといえます。産業財産権の侵害訴訟にあっては，特許庁における無効審判等への対応が必要となりますので，審理期間が長期化することは，請求自体が根本的に否定されるリスクを増やすことになりますので，注意が必要です。

2 仮処分

仮の地位を定める仮処分，具体的には製造販売差止を求める仮処分も，条件が揃えば解決手段として選択されます。

もっとも，知的財産権侵害訴訟では，対象製品や争点が多岐に及ぶ事例，公知技術の調査等を含めた反論に時間を要する場合等も少なくありません。また，本案訴訟と仮処分の双方を一緒に起こした場合，双方が並行して審理され，仮処分のみが先行して審理判断されないことも多いです。

損害賠償よりも差止を優先させたい場合，比較的侵害が判りやすい事例，事実関係が単純な事例で，緊急性が認められれば仮処分のみ申し立てる選択肢があり得ます。

長所は，本案訴訟が損害賠償に関する審理のため，判決までに時間を要することに比べ，侵害論が終了して被保全権利が疎明できた時点で差止決定を得られるため，本案訴訟の判決よりも前に被疑侵害者の侵害行為の差止を得られること，短所は担保金の用意も含め費用がかさむことです。また，これは長所・短所の双方の側面がありますが，本案訴訟で損害賠償を請求せず，差止請求だけ求め（損害賠償請求は後訴で処理），一審判決時の仮執行宣言をもって早期の差止を得るとの手法と比べると，差止の仮処分決定の場合，不服申立を理由とした執行停止の救済がないことから，逆に権利者側にあっても，例えば，仮処分決定後に特許が無効となった場合には，違法執行として損害賠償責任を負担することが多くなることがあげられます。

3　知財調停

令和元年10月1日から東京地方裁判所及び大阪地方裁判所において，知的財産権に関する紛争を対象とした知財調停制度の運用が開始されました。知財調停においては，知財専門部の裁判官である調停主任1名と，知財事件の経験が豊富な弁護士・弁理士等の調停委員2名が調停委員会を構成し，これら専門家チームが調停を行うものです。

長所は，当該技術分野に詳しい調停委員の下で，話し合いにより解決を図る手続であるため，柔軟かつ当業者として納得のできる結論に到る可能性があること，短所は，知的財産権侵害の紛争はハード案件であるため，調停委員から斡旋された調停案であるとはいえ，判決に比べ権威が低く，当事者が最終的にこれを受容できるかどうかについて，最終的に調停調書にとりまとめられるまで予想できないことがあげられます。

4　日本知的財産仲裁センターの利用

1998年，日本弁護士連合会と日本弁理士会が協力して工業所有権仲裁センター（現日本知的財産仲裁センター。http://www.ip-adr.gr.jp/）を設立し，弁護士，弁理士，学識経験者，元裁判官らが仲裁人・調停人候補者として登録されています。同センターは，仲裁のみならず相談や調停，単独判定も含む各種判定，事業適合性判定，あるいはJPドメイン名の紛争処理も扱っております。

長所及び短所は，日本知的財産仲裁センターで取り扱う事件としては，判定を除き，調停が数多いため，知財調停に関して述べたところがそのままあてはまります。仲裁に関して追記すると，長所は，原則，一回の仲裁判断で終局的な解決が得られ，しかも非公開手続で進行するため，依頼者の営業秘密を保護し易い点，短所は，予め日本知的財産仲裁センターで仲裁による解決を図るとの事前の仲裁合意をしている案件がそもそも少なく，また，他の商事仲裁と比較して格段に低廉であるとはいえ，裁判と比べ，仲裁人の費用を当事者が負担せざるをえない点が挙げられます。なお，民民間の協議による紛争解決を目指す場合，一方当事者の申立で相手方の関与がないまま進められる単独判定手続は，現在の特許庁の判定手続にない特徴ですので，日本知的財産仲裁センターを活用することは現実的な選択肢となります。

5　輸出入差止

侵害品が輸出入されている場合，現実には訴訟や民事保全で対応することは時間的に困難です。この点，関税法が定める税関における侵害品を差し止める水際措置は，一旦成功すると継続的に輸出入差止がかかっている旨の告知が続くことから，同種事案に関して輸出入業者一般に対する警告効果が大きく，特に，商標やキャラクターグッズに関する著作権侵害事件等に関しては，実務的に検討に値する手続きです（Q14参照）。

長所は，行政手続であるため，費用が低廉で審理が短期で終了する上，その効果が輸出入業者の業界一般に広く及ぶこと，短所は，輸出入における具体的な活動を把握した上，申立を行う必要がある上に，特許権侵害等の侵害論が困難な事例や，並行輸入にあって違法とすべきかが微妙な事例等の複雑な案件にあって，特許庁や専門委員の協力があるとはいえ，税関の判断能力を超える事案があることです。

なお，輸出入差止申立を税関に受理してもらった後，個別的な被疑輸出入案件が発覚した場合，その認定手続に進みますが，輸出入者に争いがある場合は，双方，その主張を行うための期間が限定されており，申立人側も相手方も，代理人の対応には過大な労力を要します。認定手続は全国各地の税関で行われますので，予め依頼者と認定手続に進んだ場合の費用の取り決めをしておくことも実務的に重要です。

第4章　ライセンス契約

Q55　ライセンス契約に際しての注意点

依頼者A社より,「自社の登録商標をB社にライセンスしたい」という相談を受けました。ライセンス契約を締結する上で何に気をつければよいでしょうか。

また,ライセンスを受けるB社の場合,どのような点に注意すればよいでしょうか。

1　商標ライセンス契約の目的

ブランド力のある商標を商品に付けることにより,当該商標の顧客吸引力によって消費者の当該商品の購買意欲を高めることが期待されます。このような目的で登録商標がライセンスされることがあります。また,複数の会社で共通のブランドを使用して多角的な営業戦略を推進することを目的として登録商標がライセンスされることがあります。さらに,ある商標の使用を企図している者が調査したところ,同一又は類似の登録商標が見つかった場合に,商標権者に登録商標の譲渡やライセンスを申し入れてライセンスされることもあります。

このように,登録商標がライセンスされるのは,種々の場合があるので,依頼者A社にどういう目的でライセンスするのかをよく聞く必要があります。ライセンスの目的に応じてライセンス契約にどういう内容の条項を盛り込むかが異なる可能性があるからです。

2　A社の商標ライセンス契約の注意点

（1）ライセンス契約一般の注意点

ライセンス契約一般において,ライセンスの種類として,専用使用権（特許等は専用実施権）と通常使用権（通常実施権）のいずれを選択するか,ライセンスの範囲として地域的範囲,時間的範囲,許諾行為の範囲をどう定めるか,及び,ライセンスの対価をどのように定めるか（商標登録が無効になった場合の返還の要否も含めて）に注意を要します。これらの内容は,ライセンス契約の最低限の条項として必要でしょう。

また,契約終了時のライセンス商品や仕掛品の取扱いをどうするかについても定めておく必要があるでしょう。

（2）A社の商標ライセンス契約の注意点

商標ライセンス契約において,ブランド力のある商標や共通のブランド構築の場合,当該商標の顧客吸引力を維持する必要がありますので,ライセンシーであるB社の商品や役務の品質の確保の義務を規定してブランドの価値を減殺しないようにする必要があります。これは,商品や役務の質をできるだけ具体的に特定した契約条項を規定するとともに,違反行為に対して契約解除も含めた制裁を規定します。

また,B社の商標の使用態様によっては,第三者の商品や役務と誤認混同されるおそれが生じることもあり,ブランドの価値を減殺することのないように使用態様を契約で特定する必要も生じます。

そして,これらのB社の義務が遵守されているかどうかの監督ができる条項（例えば,報告義務や検査権限等の規定）を規定する必要もあるでしょう。

これらのB社の義務が遵守されない場合に，登録商標のブランド価値の減殺のおそれのみならず，商標登録が取り消されるおそれもあるので（商標53条１項），注意が必要です。

ブランド力のある商標をライセンスする場合であれば，B社の商品や役務に登録商標とともにA社からのライセンスを受けている旨の表示を義務づけることも検討に値するでしょう。

3　B社の商標ライセンス契約の注意点

まず，前項（１）の一般的な注意点は，ライセンシーであるB社にとっても重要な問題であることは言うまでもないことです。B社がA社から登録商標のライセンスを受けて行なう事業についての構想を十分に検討して，ライセンスの内容をA社と協議する必要があります。

A社の登録商標のライセンスを受けるに際し，B社は，A社の登録商標の調査を行なう必要があります。特許情報プラットフォーム（J-Plat Pat）のデータベースで確認するほか，登録原簿謄本を取得して，A社が商標権者であること（商標権の譲渡がないこと），商標権が存続していること（設定登録から10年経過している商標については更新が行なわれていること），及び，専用使用権，通常使用権又は質権等の登録の有無を調査する必要があります。さらに，登録原簿によって無効審判請求や取消審判請求の有無も確認することができます。このように，ライセンス契約締結時点でのA社の登録商標の権利の状態を把握しておく必要があります。なお，平成23年の特許法改正において通常実施権の当然対抗の制度が採用されましたが，商標法においては依然として登録をしなければ第三者に対抗できませんので（商標31条４項），その点についての注意が必要です。

ライセンス契約締結時点のみならず，契約存続期間中においても，上記の事項について，継続的に注意する必要があります。そのためには，ライセンス契約でA社の第三者への専用使用権設定等の制限，無効審判請求等の報告などの条項を設けたり，B社自らも定期的に登録原簿謄本を入手するなどの対策を講じるべきでしょう。

4　技術ライセンスとタイアップして商標ライセンスを設ける意義

Q56で説明する特許等や技術上の営業秘密に関してライセンスするのと同時に，商標ライセンスを別途定めておくことは，実務上，よく見かけられます。

特許権等の権利はアイディア等の技術的思想を独占する強力な権利である一方，原材料の購入規制や販売先の指定等には独占禁止法等から規制が及ぶ領域もあり，また，技術が陳腐化したり，特許の存続期間満了や無効となった場合のライセンス関係を適切に保てないビジネス問題が生じたりすることがあります。

この場合，信用や品質を保証する商標ライセンスを有機的に結びつけることで，ビジネス関係を円滑に維持することができる点を考慮することが有益です。

なお，ライセンサーにとっては，ライセンシーのビジネスの展開をコントロールできるメリットが一般的にありますが，ライセンシーにとっては，本来，必要としない拘束を受けることがないか，注意して商標ライセンスの必要性を検討することも重要です。

Q56　技術ライセンスについての注意点

技術ライセンスをする場合に，特に注意すべき点は何でしょうか。

1　技術ライセンス契約の目的

技術ライセンスは，オープン・イノベーションの一貫として他の企業が持つ有益な技術を自社で活用したいという単純な場面のほか，権利行使の中で和解的にライセンスが付与される場合もあり，電気業界等においては，包括的なクロスライセンスが行われるなど様々な目的や状況において，技術ライセンスが活用されています。一般的にいえばライセンサーにとっては，ライセンスによって，実施料収入の確保と研究開発費の回収や紛争の予防が図られ，ライセンシーにとっては，自ら保有しない技術の取得，研究開発費と時間の節約，紛争の予防という意味があるといわれています。

このように，様々な目的や意図でライセンスが行われますので，依頼者に当該ライセンス契約で最低限実現したい事項や絶対回避したい状況などを詳しく確認することが必要です。

2　技術ライセンスの対象となるものの類型

技術をライセンスする場合，特許権や実用新案権などの産業財産権に基づいて行われることが典型的ですが，特許等の出願段階でなされる場合もあり，このような場合には仮専用実施権（特許34条の２）や仮通常実施権（特許34条の３）の制度が用意されています。また，営業秘密として保護されている技術をライセンスする場合もあります。

3　技術ライセンスの類型

商標権のライセンスの場合と同様に，特許権のライセンスにおいても専用実施権（権利者も実施できない）と通常実施権の区別があります（特許77条・78条）。専用実施権が登録を成立要件としているところ，通常実施権については登録が対抗要件とされていましたが，平成23年の特許法改正によって無登録で対抗できることとなりました（特許99条）。

また，通常実施権の中にも，特許権者が債権的に他の第三者にはライセンスを付与しないと約束する独占的通常実施権と，そのような制限がない非独占的通常実施権があり，さらに，独占的通常実施権の中にも，ライセンサー自身も実施をしない完全独占的通常実施権と非完全独占的通常実施権があります。

実用新案権においても，上記のような区別は存在します（新案18条・19条）。

また，営業秘密として保護される技術情報については，法律で規定された類型はありませんが，独占的なライセンスの場合と非独占的なライセンスが考えられますが，営業秘密としての技術情報のみがライセンスされることは比較的稀であるといえるでしょう。

4　技術ライセンスで特に問題となる事項

（１）実施権者の範囲

一般的にはライセンシーのみが実施をすることができると定められることが多いですが，ライセンシーが多数のグループ企業を抱える場合には，実施権者としてグループ企業全体も含める場合もあります。また，ライセンシーが自分では製造せず，下請に全て製造させる場合には，一定の要件にて自己実施と認められるという裁判例もありますが，無用の紛争を避けるために明文で定めることもあります。自己実施の範囲を超えるような場合には，サブライセンスの権利を認めることで対応する場合もあります。

（2）表明・保証

ライセンシーから特許の有効性について保証が求められる場合がありますが，ライセンサーの立場からすれば，自らの認識できない事情で特許が無効とされる可能性があるため，保証をするべきかについて慎重に検討する必要があります。これに関連して，特許が無効となった場合に，支払済みのロイヤリティを返還するのか否かが問題となることがあるので，この点について契約書に明記することも検討に値します。さらに，技術的効果についての保証が問題となる場合があります。日本企業同士では余り一般的ではありませんが，特許発明が実施不能の場合には，錯誤無効や契約不適合責任を認める裁判例もあり，注意が必要です。この点，中国企業とのライセンス契約においては中国の強行法規により技術保証が義務付けられるので注意が必要です。

（3）侵害排除義務

商標権のライセンスでも問題にはなりますが，第三者が特許権を侵害していることが判明した場合にライセンサーに侵害を排除する義務が契約上認められるかが問題となることがあります。契約書において明確にかかる義務を設定しない限りは，侵害排除義務は，ライセンス契約上当然に発生するわけではないというのが一般的な解釈ですので，ライセンシーの立場としては注意すべきです。

（4）不争義務

ライセンシーがライセンスの対象となっている特許の無効審判を提起してはならないという義務を課す場合がありますが，独禁法上の問題があることから，最近は，ライセンシーが特許の有効性を争った場合，ライセンサーはライセンス契約を解除できるという規定を入れることが多くなっています。

（5）特許表示義務

特許法187条では努力義務となっていることから日本では余り一般的では無いですが，特許表示をすることを契約書上に盛り込む場合もあります。なお，米国特許法では表示しなければ権利行使ができないことから契約書に盛り込まれることが一般的です。

（6）改良発明の扱い

ライセンシーが改良発明を行った場合には，ライセンサーに譲渡すべきという条項は独禁法上の問題があることから，最近では無償の非独占的なライセンスを付与することが規定されることが多くなっています。

〔初版担当者〕（50音順）

監修者

牛田　利治　小松陽一郎　松村　信夫　三山　峻司

編集責任者

岩谷　敏昭　塩田千恵子　三山　峻司　室谷　和彦

執筆者一覧

池下　利男　岩谷　敏昭　塩田千恵子　白波瀬文夫　長屋　　興　平野　和宏　平野　惠稔
松本　好史　室谷　和彦　和田　宏徳

〔改訂版担当者〕（50音順）

監修者

小松陽一郎　白波瀬文夫　松村　信夫　溝上　哲也　三山　峻司

編集責任者

岩谷　敏昭　岡本満喜子　坂本　　優　白波瀬文夫　室谷　和彦

執筆者一覧

池下　利男　井上　周一　岩谷　敏昭　岡本満喜子　塩田千恵子　重冨　貴光　白波瀬文夫
長屋　　興　平野　和宏　平野　惠稔　松井　保仁　松本　好史　室谷　和彦　和田　宏徳

〔第３版担当者〕（50音順）

監修者

小松陽一郎　白波瀬文夫　松村　信夫　松本　　司　溝上　哲也　三山　峻司

編集責任者

井上　周一　岩谷　敏昭　岡本満喜子　坂本　　優　白波瀬文夫　松本　　司　室谷　和彦

執筆者一覧

池下　利男　井上　周一　岩谷　敏昭　生沼　寿彦　岡本満喜子　北岡　弘章　小池　眞一
坂本　　優　塩田千恵子　重冨　貴光　白木　裕一　白波瀬文夫　田上　洋平　角野　佑子
長屋　　興　平野　和宏　平野　惠稔　古庄　俊哉　松井　保仁　松本　　司　松本　好史
室谷　和彦　山崎　道雄　山下　英久　和田　宏徳

〔第４版担当者〕（50音順）

監修者

小松陽一郎　白波瀬文夫　松村　信夫　松本　　司　溝上　哲也　三山　峻司　室谷　和彦

編集責任者

井上　周一　岩谷　敏昭　岡本満喜子　坂本　　優　白波瀬文夫　田上　洋平　古庄　俊哉
松本　　司　室谷　和彦　山田威一郎

執筆者一覧

池下　利男　井上　周一　岩谷　敏昭　内田　　誠　生沼　寿彦　岡本満喜子　北岡　弘章
小池　眞一　坂本　　優　塩田千恵子　重冨　貴光　白木　裕一　白波瀬文夫　田上　洋平
角野　佑子　長屋　　興　平野　和宏　平野　惠稔　古庄　俊哉　松井　保仁　松本　　司
松本　好史　室谷　和彦　山崎　道雄　山下　英久　山田威一郎　和田　宏徳

知財相談ハンドブック〔第４版〕

発行日　2023年９月

編　集　大阪弁護士会　知的財産法実務研究会

発　行　大阪弁護士協同組合
〒530-0047
大阪市北区西天満１－12－５
大阪弁護士会館内
ＴＥＬ　06－6364－8208
ＦＡＸ　06－6364－1693

定価　2,000円＋税